꿈의 세계
엘그프 3

꿈의 세계 엘그프3-1

지은이 P.S.Jun

발 행 2024년 1월 24일
펴낸이 한건희
펴낸곳 주식회사 부크크
출판사등록 2014.07.15.(제2014-16호)
주 소 서울특별시 금천구 가산디지털1로 119 SK트윈타워 A동 305호
전 화 1670-8316
이메일 info@bookk.co.kr

ISBN 979-11-410-6859-2

www.bookk.co.kr

꿈의 세계
엘그프 3

P.S.Jun

BOOKK

꿈의 세계 엘그프 3

전하고 싶은 말

꿈을 찾는 것에는 여러 단계가 있어요.

내가 하고 싶은 일은 무엇일까? 고민하는 것부터가 시작이라고 볼 수 있죠.

생각하는 것은 어렵지 않아요.

지금 당장 무엇을 먹을지, 어떤 행동을 할지 생각해 보라고 하면 할 수 있듯이 꿈도 같다고 생각해요.

누군가에게만 어렵고 쉬운 그런 것이 아니라는 것을 말해 주고 싶어요.

생각하는 것은 자유라는 말이 있죠.

저는 이 말에 공감이 가요.

생각만 하는 것은 다른 사람에게 피해가 없고 그저 나만 알 수 있으니까요.

가끔 친한 친구들과 있으면 생각을 들키기도 하지만, 생각하는 것은 자유롭다는 생각이 들고 그런 생각들이 모이다 보면, 자신이 이루고 싶었던 것에 쉽게 도달할 수 있을 거라고 믿어요.

꿈의 세계 엘그프도 갑자기 나온 것은 아니에요.

오랫동안 생각하고 느꼈던 것들을 모아서 정리한 다음에 적게 된 것이죠.

책을 적고 출판하는 것까지는 도달했으니, 이제 많은 독자 분들께 다가갈 수 있도록 생각을 모으는 과정인 거 같아요.

언제 터질지는 모르겠지만, 노력해 보려고 해요.

1
마지막과 시작

눈이 내리지만, 즐겁게 돌아다니는 아이들, 그들을 걱정하는 가족, 추위를 피하려고 두꺼운 옷들을 꽉 부여잡고 걷는 사람들이 있는 곳은 드리머네 집이 있는 마을이다.

소파에 앉아서 커다란 창문으로 눈이 내리는 장면을 보는 드리머는 하얀 눈들을 보니, 마음이 설레었다. 그의 마음을 설레게 한 것에는 하얀 눈뿐만이 아닌, 그의 옆에서 같이 밖을 보는 아버지와 어머니, 류인태가 있었다.

류인태도 눈이 오는 것을 혼자서 구경했었다가 여유롭고 따뜻한 곳에서 드리머네 가족과 함께 구경하는 것이 좋았다. 그가 하얀 눈을 보면서 느끼는 여러 감정을 말로 표현할 수는 없지만, 한 가지 아쉬운 것은 옆에 그의 부모님이 없다는 것이다. '부모님도 이 눈을 보고 있을까?' 그는 드리머의 부모님이 눈을 구경하는 모습을 그의 부모님의 모습으로 바꿔서 상상했다.

"DWN입니다. 이번에도 겨울 축제가 다가오는데요! 이번에는 어떤 축제가 열릴지 궁금하지 않으신가요?"

거실에서 흐르는 고요한 정적이 텔레비전에서 나오는 DWN의

소리에 깨졌다.

“겨울 축제에 대해 알려 주는 것 같구나. 이번에는 어떤 경기를 하려나?”

창문을 보던 어머니가 똑바로 앉아서 텔레비전을 보며 물었다.

겨울 축제를 기다리고 있던 드리머와 류인태도 몸을 돌려서 텔레비전을 보았다.

‘이번에는 어떤 것이 있을까?’

드리머의 두근거리는 마음은 누구도 진정시킬 수 없을 것만 같았다.

“이번 겨울 축제는 전과 달라진 것이 있는데요. … 이번에는 경기를 따로 하지 않는다고 해요.”

‘경기를 하지 않는다고? 그럼 뭘 하는 거지?’

드리머는 경기를 따로 하지 않는다고 해서 실망하면서도 기대가 되었다.

“여태까지 했던 경기들을 보면 아이들이 서로 경쟁하기만 했고 모두가 즐기지 못했었기에 이번에는 모두가 즐길 수 있도록 하는 의미로 얼음 썰매와 먹거리 축제를 하기로 했습니다! 이번 먹거리 축제에서는 전처럼 따로 앉는 것이 아니고 모두가 마주 볼 수 있도록 앉아서 음식을 먹는 것입니다. 처음 시도하는 것이지만, 모두가 즐거운 시간을 보낼 수 있을 거라는 생각이 듭니다. 그러니 편하게 오면 되고 얼음 썰매에 관한 주의사항이나 방법은 현장에서도 알려 주겠지만, 미리 알아 오는 것을 당부합니다.”

“이번에는 경기가 없고 모두가 즐길 수 있는 겨울 축제가 될 것 같구나!”

이번 겨울 축제의 의미를 파악한 아버지가 말했다.

드리머는 생각보다 재미가 없을 것 같아서 실망했다.

류인태는 모두가 즐길 수 있다는 것에 기뻐하면서 신이 났다.

"그러면 많은 사람과 친구들과 같이 먹고 대화를 나눌 수 있겠네요! … 정말 재미있을 거 같아요!"

어머니는 류인태의 반응이 귀여워서 머리를 쓰다듬으면서 환하게 웃었다.

아버지는 그곳에 얼음으로 된 빙판이 없었기에 얼음 썰매에 관해서 어떻게 알려 주면 좋을지 고민했다.

'썰매를 끄는 방법만 알려 주면 되려나?'

곧 밥을 먹어야 했기에 어머니는 드리머와 류인태와 어떤 음식을 먹을지 정하고 있었다.

드리머와 류인태는 맛있는 음식을 생각했더니 먹고 싶어졌다.

어머니는 드리머와 류인태를 데리고 장을 보러 나갔다. 그녀가 그들을 데리고 간 것은 아버지의 표정을 보았기에 그가 어떤 고민에 빠졌는지, 어느 정도 예상이 가서 해결할 시간을 주려고 했다.

아버지는 어머니의 예상대로 장을 보러 가는 것에 따라가지 않았다.

어머니는 아무것도 모르는 듯한 웃음을 지으며 갔다 온다고 손짓했고 드리머와 류인태는 밖으로 나가는 것이 즐거운지 행복한 웃음으로 팔을 크게 흔들었다.

"어서 가자구나. 드리머, 인태."

어머니는 아이들이 현관문을 통과하는 것을 보다가 다치지 않게 현관문을 닫았다.

'음…' 아버지는 그들이 장을 보고 돌아오기 전까지 어떤 걸로 썰매를 만들지 창고에 있는 것들을 보며 재료를 찾아보았다. 창고에는 생각보다 많은 것들이 있어서 썰매를 만드는 것에는 충분했지만, 다치지 않고 안전하게 타면서 잘 나아갈 수 있게 만들고 싶어서 재료를 하나하나 신중하게 보았다.

'어떤 재료로 만드는 게 나을라나?'

아버지는 썰매로 만들어도 괜찮을 만한 재료들을 챙겼다.

겨울 축제가 점점 다가와서 길거리는 더욱더 화려해졌다. 반짝이는 장식들이 벽에 장식되어서 길을 걷는 사람들의 마음을 반짝 빛나게 했다.

장식을 보는 사람들의 생각과 느낌은 장식을 가리키며 행복하게 웃는 아이들부터 해서 어린 시절로 돌아간 것처럼 바라보는 어르신까지 연령과 성별에 상관없이 모두가 같았다.

"정말 아름답지 않니?"

드리머와 류인태의 손을 잡고 걸어가는 어머니가 장식을 보며 물었다.

"네! 정말 아름다워요!"

류인태는 반짝이는 장식을 봐서 더 신이 났다.

드리머는 반짝이는 것을 보다가 반짝이는 종이별이 생각났다.

"뭔가 반짝이는 종이별 같아요!"

어머니는 드리머의 웃는 모습을 보다가 장식을 보았다. "정말 그러네!" 그녀는 어르신 부부가 만들어 주었던 빛나는 종이별을 생각하면서 어렸을 때를 떠올렸다.

장을 보러 가는데, 사거리 중간에 커다란 나무가 보였다.

"저기, 저곳… 학용품 가게 아닌가요?"

드리머가 커다란 나무를 가리키면서 물었다.

어머니는 학용품 가게에 장식을 해 놓아서 드리머가 알아보지 못했다는 것을 알았다.

"저곳은 학용품 가게가 맞는단다."

"정말요?" 드리머가 신기해하며 장식된 나무처럼 꾸민 학용품 가게를 보며 흥미로워했다. "저렇게 꾸며 놓아서 그런지, 못 알아

봤어요!" 그는 학용품 가게의 달라진 모습을 가까이에서 보려고 다가갔다.

류인태도 드리머와 같이 학용품 가게를 장식한 장식들을 보았다. 어머니는 그들이 학용품 가게를 충분히 감상할 수 있도록 시간을 주었다. 그녀는 그들이 즐거워하는 모습에 웃음이 나왔고 어릴 적에 장식을 구경하며 즐거워하는 자신의 모습을 보고 있는 부모님의 모습이 문득 떠올랐다.

썰매의 재료를 모두 정한 아버지는 편하게 작업을 하려고 마당으로 가지고 나갔다. "읏챠!" 그는 재료들을 바닥에 내려놓았다.

재료들을 정했지만, 설계를 한 것이 아니기에 길이를 재는 것부터 시작했다. 지이잉. 팔찌에 길이를 자동으로 재는 기능이 있어서 그것을 이용했고 종이와 필기도구로 팔찌에서 잰 길이를 기록했다.

'좋았어! 이제 만들기만 하면 되겠지?' 아버지는 썰매 모양을 생각하면서 재료들을 따로 놓았다. '이건 몸통이고 이건 날, 이건 기둥.' 그가 조립을 시작하려고 몸통으로 할 재료를 들었는데, 평평하게 큰 재료로 할지, 작은 재료들을 하나씩 붙여서 만들지 고민하면서 직접 앉아 보며 괜찮은 것으로 골랐다.

장을 보고 집으로 가면서 어머니는 드리머와 류인태에게 간단한 간식을 사 주었다. 맛있는 간식을 먹으면서 장식을 보니까, 축제에 온 것 같은 느낌이 들어서 좋았다.

'평소에도 이렇게 꾸며 놓으면 좋을 거 같은데, 왜 꾸며 놓지 않는 거지?'

드리머는 간식을 오물오물 씹으면서 평소에 이렇게 꾸미지 않는 것을 이해하지 못했다.

집에 도착하고 다 먹고 남은 나무 꼬챙이를 들고 있는 드리머와 류인태는 아버지가 만든 썰매를 보고 신이 났다.

"와아! 이건 뭐예요?"

쭈그려 앉아서 고개를 숙인 채로 썰매를 보는 드리머가 물었다.

아버지는 뿌듯해하며 설명했다.

"이건 썰매란다. 너희가 겨울 축제에서 썰매를 타면서 즐기려면, 먼저 썰매를 타는 법을 알아야 한다고 했잖니? … 그것을 알려 줄 거란다."

아버지가 드리머와 류인태에게 썰매를 보여 주면서 설명을 하는 동안 어머니는 장을 봐 온 것들을 가지고 집으로 들어갔다. '저이가 키만 작았어도 아이들 세 명이 있는 걸로 보이겠네.' 그녀는 아이처럼 순수한 표정을 한 아버지를 보고 미소를 지었다.

아버지는 썰매를 처음 타는 드리머와 류인태의 자세를 잡아 주면서 중심을 잡을 수 있도록 도와주었고 썰매가 앞으로 나아가는 법과 빠르게 가는 법을 알려 주었다.

"앞으로 빠르게 나아가는 방법은 이 막대기 끝으로 앞쪽을 찍고서 힘차게 밀면 된단다. 욕심을 부려서 너무 앞쪽에다가 하면 오히려 힘을 받지 못하고 조금만 나아갈 수 있으니, 주의해야 한단다."

드리머와 류인태는 썰매가 한 개여서 서로 배려를 하며 썰매를 타는 법에 대해 배웠다.

"읏샤! … 읏샤!" 드리머가 아버지가 알려 준 대로 막대기의 끝으로 앞쪽을 찍고 힘차게 밀었지만, 썰매는 앞으로 나아가지 않았다. 아버지가 만든 썰매는 얼음 썰매였기에 진흙이나 흙바닥에서 나아가지 않았다.

"그건 얼음 위에서 타야지 잘 나아갈 거란다. 지금 이곳에 얼음이 없어서 그것을 시험해 보기는 어렵지만, 방법만 알면 되니까."

아버지는 괜찮다는 손짓을 하면서 드리머와 류인태를 설득했다.

드리머는 얼음 썰매라는 것을 처음 본 것이어서 아버지의 말에 귀를 기울이며 썰매에 대해 알아 갔다.

"오늘은 여기까지 하고 나머지는 컴퓨터로 찾아보렴."

아버지는 썰매를 현관문 옆쪽에 세워 두었다.

드리머와 류인태는 썰매를 찾아보려고 컴퓨터 앞에 앉았다. 컴퓨터는 한 대뿐이어서 둘이 하나의 화면으로 봐야 한다는 것이 조금 불편했지만, 볼 수는 있었기에 조금의 불편함은 참기로 했다.

컴퓨터로 검색한 썰매는 눈썰매가 주로 보였고 얼음 썰매에 관해서는 거의 없었다.

"거의 눈썰매만 있는 거 같아."

얼음 썰매에 관한 내용을 찾느라 눈이 바쁜 드리머가 말했다.

"아무래도 얼음이 없어서 그런가 봐. … 대회 때만 얼음을 사용해서 얼음 썰매에 관한 내용이 없을 만하지."

아쉬워하는 류인태도 옆에서 얼음 썰매에 관하여 살펴보았다.

얼음 썰매에 관한 내용을 찾기가 정말 어려웠지만, 우연하게 한 개의 정보를 발견했다.

드리머와 류인태는 그것을 보고 동시에 기뻐하며 바로 눌렀다.

'얼음 썰매는 얼음 위에서 타는 썰매로 날이 날카로울수록 잘 나아가지만, 위험해서 어느 정도 규제해 놓았고 얼음 썰매의 막대기 역시 규제해 놓았다.'

"얼음 썰매가 얼마나 위험한 걸까?"

드리머는 위험하다는 말에 주목했다.

"그러게… 나도 잘 모르겠어."

류인태도 얼음 썰매를 타 본 적이 없었기에 드리머의 물음에 대답할 수 없었다.

그들은 얼음 썰매의 날에 대해 더 찾아보기로 했다.

'얼음 썰매의 날에 관한 내용은 없나?'

궁금증을 참지 못하는 드리머는 날의 위험성에 대해 빨리 알아내고 싶어서 마음이 점점 조급해졌지만, 류인태는 집중하느라 그의 조급한 모습을 보지 못했다.

한동안 얼음 썰매의 날을 찾아보았지만, 새로 찾은 것은 없었다.

"아! 우리가 잊고 있었어!" 아버지가 만든 썰매가 생각난 드리머가 기뻐하며 물었다. "방금 우리가 탄 썰매를 보면 되지 않을까?"

"오! 좋은 생각이야!"

류인태도 드리머의 괜찮은 제안에 같이 밖으로 나갔다.

드리머와 류인태가 세워 둔 썰매를 조심히 내려서 날부터 확인했는데, 아버지가 만든 썰매의 날은 그렇게 날카로워 보이지 않았다.

드리머는 한 손으로 썰매를 들어서 날을 확인했다.

"이게 정말로 날카로울까?"

류인태의 눈에도 날은 날카로워 보이지 않았기에 고개를 저었다.

드리머는 혹시 몰라서 조심스럽게 내려놓았다.

'왜 위험하다는 거지?'

"내 개인적인 생각인데…" 왜 그런지 이유를 고민하던 류인태가 말했다. "그 규정이라는 것에 맞춘 것이 아닐까?"

드리머는 류인태와 보았던 규정에 대한 내용을 떠올리며 그의 말이 맞을 것 같다고 생각했다.

"얘들아 밥 먹자!"

현관문을 열고 썰매를 구경하는 아이들을 보는 어머니가 웃으면서 말했다.

드리머와 류인태는 밥을 먹을 생각에 즐겁게 집으로 들어갔다.

겨울 축제가 열리는 날이 되었다.

드리머와 류인태는 일찍 일어나서 겨울 축제로 가기 전까지도 아버지가 만든 썰매를 타면서 연습했다. 그곳이 얼음은 아니었기에 나아가는 것은 어려웠지만, 어떻게 하면 더 편하고 더 쉽게 막대기를 사용해서 나아갈 수 있는지 어느 정도 감을 잡았다.

아버지가 현관문을 닫고서 외쳤다. “이제 가자!”

어머니는 겨울 축제를 하면서 목이 마를 때 마실 물과 드리머와 류인태가 썰매를 타면서 손이 시릴 수 있어서 장갑과 목도리, 모자를 챙긴 가방을 메었고 드리머와 류인태는 각자의 썰매를 들었다. 썰매 날이 위험할 수 있다고 생각한 아버지가 날 보호대를 끼워서 그들은 안심하며 썰매를 들고 갈 수 있었다.

겨울 축제가 열리는 곳에 거의 다 도착해서 드리머의 팔이 떨렸다. 썰매가 작더라도 무게가 나갔기에 그가 들기에는 무게가 있었다.

“조금만 쉬었다가 가면 안 되나요?”

“음…” 어머니는 겨울 축제 입구를 보았다. “이제 거의 다 오긴 했는데, 많이 힘드니?”

드리머가 고개를 끄덕여서 아버지가 그의 썰매를 들어 주었다.

“이건 내가 들어 줄 테니, 어서 가자!”

드리머는 자신의 썰매를 끝까지 들고 가고 싶었지만, 팔이 떨렸기에 대신 들어 주는 아버지가 좋았다.

“환영합니다!”

겨울 축제 도우미들이 입구에서 가족들을 반겨 주었다.

‘이번에도 겨울 축제 도우미가 입구에 있네.’ 드리머는 도우미들을 보며 생각했다. ‘겨울 축제 도우미가 되는 방법이 따로 있는 건가?’ 그는 도우미들을 보기만 했지, 도우미가 되는 방법에 대해서는 생각해 본 적이 없었기에 무척이나 궁금했다.

"어! 너희도 왔네!"

아인이 그들에게 손을 흔들면서 걸어왔다. 드리머와 류인태도 그녀에게 손을 흔든 뒤에 썰매를 보여 주었다.

"우리 썰매 어때?"

"오! 잘 만들었다! 너희가 만든 거니?"

아인이 썰매를 구경하면서 물었다.

"아니, 우리가 만든 건 아니고 드리머의 아버지가 만들었어."

"와! 정말 멋지세요!"

아인이 고개를 들고 아버지를 보며 멋지다고 손짓했다.

아버지가 아인의 반응을 귀여워하면서 말했다. "고맙구나."

드리머네 가족과 아인네 가족은 다른 가족들과 눈사람이 있는 곳에서 만나기로 해서 그곳으로 갔다.

눈사람 앞에서 썰매를 들고 있는 금잔하와 새파란, 민다린, 복태현이 그들을 반겨 주는데, 그중에서 새파란이 가장 들떠 있었다.

아버지는 저번에 새파란의 어머니와 대화를 나누면서 그가 썰매를 좋아한다는 것을 알고 있었기에 그의 들뜬 모습에 웃음이 절로 나왔다.

모두가 모여서 자리를 잡으러 이동했다.

아이들이 썰매를 들고 있어서 걷는 것이 조금 불편했지만, 썰매를 타는 곳이 정중앙에 크게 있어서 그곳을 보며 불편함을 감수했고 마음이 설렜다.

입구와 가까운 자리에는 모든 가족이 앉을 수 있는 곳이 없어서 입구와 먼 곳으로 가야 했다.

"휴우… 드디어 자리를 잡았네."

아버지가 정자에 앉으면서 말했다.

"그러게 말이야. 입구 근처에 먹을 거나 물건을 사는 곳이 있으니, 근처에 자리를 잡을 수가 없네."

아인의 아버지가 공감하며 말했다.

"우선 먹을 것부터 시키자!"

어머니가 드리머와 류인태의 썰매가 다른 곳으로 가지 않게 두며 외쳤다.

큰 정자에 앉은 그들은 각자 가족끼리 먹고 싶은 것을 사 오기로 했다.

아이들은 썰매를 타는 가족들의 모습이 보여서 썰매를 타고 싶었지만, 그들이 아침을 먹지 않았기에 부모님들이 썰매를 타지 못하게 해서 아이들은 아쉬워하며 음식을 사러 갔다.

음식점 근처에 도착하고 아이들은 음식 냄새에 썰매를 잊을 수 있었다. 드리머가 맛있는 냄새에 환호했다.

"맛있는 냄새가 나는데!"

음식을 사 온 가족들이 정자로 모였는데, 그들이 사 온 음식이 다양해서 많은 사람이 먹어도 충분할 것 같았다.

배가 고팠던 아이들과 어른들은 모두 즐겁게 음식을 먹었다.

배부르게 먹은 아이들은 드디어 얼음 썰매를 탈 수 있게 되었다. 드리머는 썰매를 들고 얼음 위로 천천히 내려갔다. 얼음 위가 미끄러워서 평소대로 걸었다가는 앞에 넘어진 아이처럼 될 수 있었기에 천천히 조심스럽게 가야 했다.

썰매를 놓으려는데, 드리머가 미끄러지면서 넘어질 뻔해서 아버지가 그를 잡아서 넘어지는 것을 막았다.

"휴우!" 드리머는 놀라서 한숨을 크게 내쉬며 진정했다.

아버지는 드리머와 류인태가 썰매에 올라탈 때까지 넘어지지 않는지 지켜보았다. 류인태는 안전하게 썰매를 탔고 막대기를 사용하면서 앞으로 나아갔다.

"인태는 잘 타는구나!" 아버지가 빠르게 나아가는 류인태를 보며 외쳤다. "그래도 다른 사람과 부딪치지 않게 조심해야 한다!"

드리머는 류인태가 앞으로 나아가는 것을 보고 빨리 타 보고 싶어서 마음만 앞섰다. '나도 빨리 타고 싶다.' 그는 빙판이 미끄러워서 마음대로 되지 않는 것이 답답했고 몸이 마음대로 움직여서 중심을 잡는 것이 힘들었다. "됐다!" 썰매 위에 올라간 그가 기뻐했다.

아버지는 드리머에게 막대기를 주어서 앞으로 나아갈 수 있게 했다. 그가 막대기로 앞으로 나아가려고 했는데, 류인태의 썰매처럼 빠르게 나아가지 않았다. '어… 분명히 이렇게 하면 잘 나아갔는데?' 그는 류인태와 같이 연습했는데, 다른 결과에 당황스러웠다.

아버지는 썰매가 약간 기운 것을 보고 드리머에게 갔다. "드리머, 잠깐만 기다리렴." 그는 드리머의 몸을 가볍게 들어서 썰매의 정중앙에 앉혔다. "다시 한번 해 보렴."

드리머는 뭐가 달라진 건지, 밑을 보았다가 몰라서 넘어갔고 기다리던 썰매를 타게 되었다.

"안녕하세요! 썰매를 타는 가족 분들이 많은데요. 서로 다치지 않도록 주의하면서 타 주시고 중간에 배치된 도우미들의 통제를 따라 주시면 감사하겠습니다! 즐거운 시간 보내세요."

썰매를 타는 곳에 울린 방송은 다른 것이 아닌 주의사항이었다.

드리머는 다치지 않도록 하라고 해서 주위를 살피면서 막대기를 움직였다. 그가 주위만 살펴서 썰매의 속도를 인지하지 못했는데, 앞에 사람이 와서 속도를 줄여야 했다. '이거 속도를 어떻게 줄이지?' 그가 마당에서 연습했던 대로 속도를 줄이려고 했지만, 얼음과 마당은 달랐기에 속도가 줄지 않았다.

"드리머, 조심해!"

아버지가 조심스럽게 걸어오면서 외쳤다.

'어? … 어?' 드리머는 앞에 있는 사람과 부딪치기 전에 몸을 틀었다. "아야!" 얼음이 꽁꽁 얼어 있어서 아팠다.

"드리머, 괜찮니?"

아버지가 드리머를 챙기면서 물었다.

"아니요. 등 쪽이 조금 아파요."

드리머가 아픈 부위를 문지르면서 얼굴을 찡그렸다.

"드리머! 괜찮아?"

드리머가 넘어진 것을 발견한 류인태가 그에게 가면서 물었다.

"얼음이 너무 딱딱해서 조금 아프네."

드리머는 옷을 털고 천천히 일어났다.

류인태는 드리머의 썰매를 주면서 웃었다가 전처럼 오해를 할까 봐, 아차 싶었다.

다행히도 드리머는 류인태의 웃음을 비웃는 것이 아닌 즐거워서 웃는 것이라고 생각했고 자신이 넘어진 장면을 상상했더니, 웃음이 나왔다.

드리머는 류인태의 도움을 받으며 썰매를 타는 법에 대해 익혔다. 아버지는 둘이서 잘 타고 있어서 가까이 붙지 않고 어느 정도 떨어져서 지켜보기만 했다.

썰매를 타는 것을 익힌 아인과 금잔하, 민다린, 새파란, 복태현은 서로 편을 나누어서 놀이를 하고 있었다.

"너희 뭐 하고 있니? 재미있어 보이네!"

"어? 인태, 드리머. 왔구나?"

썰매를 타며 놀이를 하는 아인이 그들을 반겼다. 그녀가 멈추어서 같이 놀이를 하던 아이들도 멈추고 드리머와 류인태를 보았다.

"우리도 할 수 있을까?"

드리머가 물어서 그들은 그와 류인태를 환영했고 그들도 편을 나누어서 놀이에 참여했다.

그들이 하던 놀이는 썰매를 타면서 막대기 끝으로 납작한 공을 쳐서 반대편 골대에 넣는 것이었다. 아인과 금잔하, 드리머가 같은 편이고 류인태와 복태현, 새파란, 민다린이 같은 편이 되었다. 드리머가 속한 편이 한 명이 적었지만, 아인과 금잔하의 열정이 모자란 한 명의 몫을 채워서 비등비등했다.
그들의 부모님들은 그들이 놀고 있는 모습을 보면서 다른 사람들에게 피해가 가는지, 위험한지 살폈고 음식을 먹으며 대화를 나누었다.
“여기야, 여기!”
드리머가 공을 잡고 있는 아인에게 외쳤다.
아인은 공을 가지고 가다가 류인태와 민다린이 다가와서 드리머에게 공을 주었고 새파란이 공을 빼앗으려고 해서 그는 공을 빼앗기지 않으려고 요리조리 공을 움직였다.
반대편 골대 근처에 있던 금잔하가 드리머에게 외쳤다.
“여기로 보내!”
공을 움직이는 드리머는 새파란에게 빼앗기지 않으려고 하면서 금잔하가 있는 곳을 보았고 근처에 복태현이 있어서 그가 빼앗지 못하도록 하려고 머리를 굴렸다.
새파란이 공을 빼앗으려고 할 때, 드리머가 금잔하에게 공을 주었는데, 빙판이 미끄러워서 생각보다 더 빠르게 갔다. ‘어라?’ 그는 그녀가 빠르게 가는 공을 받지 못할까 봐 걱정했다.
금잔하는 빠른 속도에 놓칠 뻔했지만, 다행히도 공을 받아서 골대에 골을 넣었다. 그녀는 뒤로 돌아서 기뻐하며 드리머와 아인을 보았다.
아인은 금잔하가 득점을 해서 기뻐했다. “와아!”
드리머도 기뻐하다가 썰매에서 넘어질 뻔했다. “우왓!”
“하하하! 드리머, 조심해.”
아인이 와서 드리머가 자리를 잡을 수 있도록 도와주었다.
드리머가 자리를 잡으려고 움직였지만, 쉽지 않아서 다시 일어났다가 앉았다.
아인은 드리머가 자리를 잡은 것을 보고 다시 놀이를 진행했다.

류인태와 민다린은 앞쪽에서 새파란과 복태현이 공을 줄 때까지 기다리면서 아인과 드리머를 피했다.

새파란과 복태현을 맡은 금잔하가 너무나도 열심히 하고 잘해서 그들이 쩔쩔매고 있었다. 류인태는 그들을 도와주려고 그곳으로 갔고 그 모습을 본 드리머도 그곳을 향해 갔다.

공을 잡고 있는 새파란은 금잔하가 류인태를 신경 쓰고 있는 틈을 노려서 공을 류인태에게 전달했다. 그녀는 순식간에 일어난 일이어서 깜짝 놀라며 공을 따라갔다.

“어?” 이제 막 도착한 드리머의 옆으로 류인태가 지나가서 놀란 그는 멍하니 바라보았다.

“이런! 어서 가자!”

금잔하가 빠르게 류인태를 쫓아가면서 외쳤고 드리머는 그녀의 말에 정신을 차리고 같이 쫓아갔다.

아인이 골대 근처를 지키고 있었지만, 류인태와 민다린이 같이 있어서 혼자서 막기에는 버거웠다. 금잔하와 드리머도 도착했지만, 이미 골대에 골이 들어간 상태였다.

류인태와 민다린은 기뻐하며 손뼉을 쳤고 아인과 금잔하는 아쉬워하면서도 다시 공을 가지고 골대를 향해 나아갔다.

놀이가 끝나고 부모님들이 아이들을 불렀다.

“얘들아, 이리로 와 보렴.”

아이들은 모두 나가는 곳 근처로 가서 조심스럽게 일어난 뒤에 썰매를 들었다. 류인태와 아인은 드리머가 불안해서 봐 주다가 그가 올라간 것을 확인하고서야 썰매에서 일어났다.

부모님은 드리머와 류인태에게 따뜻한 국물을 건네주며 놀이를 하면서 느낀 추위에서 벗어나게 해 주었다. 다른 아이들도 모두 따뜻한 국물을 마셨고 손이 시려서 두 손으로 컵을 꽉 잡고 잠시 정자에 앉아서 간식을 먹으며 쉬었다.

아이들은 모두 지쳤지만, 즐거운 표정을 지었다.

높이 떠 있던 해는 중간까지 내려갔다.

아이들은 해가 더 내려가서 어두워지기 전에 마지막으로 놀이를 하려고 썰매를 가지고 빙판으로 갔다.

부모님들은 그들의 행동이 귀여웠다.

"조심해서 놀아야 한다!"

부모님들은 그들이 조심해서 놀 것을 알고 있지만, 걱정되는 것은 같았다.

그들이 쉬기 전에 나누었던 편이 나은 거 같아서 그대로 하려고 했는데, 아인과 금잔하의 실력이 너무나도 좋아서 섞어서 하자는 제안이 나왔다. 아인과 금잔하는 그러는 게 나은 것 같아서 편을 다시 나누기로 했다.

아인과 금잔하가 가위바위보를 해서 한 명씩 뽑으면서 마지막 한 명은 이기는 쪽에 속하는 걸로 했다. 가위바위보를 해서 이기는 사람이 마음대로 뽑아 가는 것은 상처를 줄 수 있었기에 한 줄로 서서 이기는 사람의 편으로 차례대로 들어가는 것으로 했다.

가위바위보를 해서 편을 가른 결과, 아인과 드리머, 민다린이 되었고 금잔하와 류인태, 새파란, 복태현이 되었다.

"열심히 해 보자!"

아인이 드리머와 민다린을 보며 손을 흔들어서 그들도 손을 흔들며 열심히 하자고 했다.

금잔하의 편도 사기를 북돋우며 열정을 드러냈다.

아인과 금잔하는 서로를 쫓으며 맡았고 드리머는 류인태와 새파란을 맡았고 민다린은 복태현을 맡았다.

드리머가 썰매를 타는 것이 조금 어색해서 두 명을 상대하는 것이 힘들고 어려웠지만, 틈을 잘 이용하여 아인과 민다린에게 공을 잘 전달해 주며 놀이를 진행할 수 있었다.

그들의 입에서 입김이 크게 나올 즈음에 해는 거의 다 내려갔다.

"얘들아, 이제 그만 나오렴!"

어머니가 빙판 위에서 재미있게 썰매를 타고 노는 아이들에게 외쳤다.

아이들은 슬슬 콧물이 나오려고 해서 그곳에서 나가려고 각자의 썰매를 들고 정자로 왔다.

"이제 집으로 가는 건가요?"

드리머가 썰매를 잘 놓으며 물었다.

"아직 아니란다. 이번 축제에서는 특별한 선물이 너희를 기다리고 있으니, 그 선물을 보고 갈 거란다."

어머니가 드리머의 머리를 쓰다듬으며 말했다.

"와!" 드리머는 특별한 선물이라고 해서 기대가 되었다.

"겨울 축제에 더 있으실 분들은 모두 자리에 앉아 주시고 나가실 분들은 조심히 이동해 주시면 감사하겠습니다. 나가실 분들이 모두 이동을 마치면 이번 겨울 축제의 마지막을 진행하겠습니다."

'이번 축제의 마지막? 그게 뭘까?' 드리머는 마지막이고 선물이라고 했는데, 사람들이 많아서 의아했다. '이 많은 사람에게 선물을 주는 건가? 혹시 순서에 밀려서 못 받는 건 아닐까?'

길거리를 걸어 다니던 사람들과 음식점에서 음식을 구매하던 사람들은 모두 입구로 향하거나 자리를 잡으려고 움직였다.

겨울 축제 도우미들은 중간중간 배치되어 그들이 다치지 않도록 안내했다. "조심해서 이동해 주세요!"

드리머와 아이들은 이동하는 사람들과 도우미들을 보았다.

"도우미들은 힘들긴 하겠다."

"힘들긴 할 거 같은데, 한편으로는 좋은 거 같아. 나도 해 보고 싶다!"

아인은 도우미들의 행동들을 보면서 부러워하며 감탄했다.

아인의 반응을 본 드리머는 그녀가 하고 싶어 하는 엔타도 그런 것이 다른 사람을 도와주는 것을 좋아한다고 생각할 수 있게 했다.

시간이 지나고 앉아 있는 사람들만 남아서 도우미들이 자리에서 일어나지 못하게 했고 급한 일이 있는 사람들의 이동만 도우며 그곳에 있는 사람들의 행동을 제지했다.

드리머가 앉아 있는 정자에 있는 가족들은 미리 간식을 구매했기에 심심하거나 배고프지 않았지만, 근처 정자에 앉아 있는 아이들의 반응은 달랐다.

"너무 심심해요."

"이제 곧 시작하니까, 조금만 참으렴."

"너무 심심한데··· 재미있는 게 없나요?"

옆 정자에서 칭얼대던 아이가 정자에서 벗어나려고 해서 부모님이 말렸다.

다른 사람의 이동을 돕던 도우미가 와서 벗어나려는 아이를 말렸다. "지금은 다른 곳으로 가면 안 돼." 도우미는 웃으면서 친절하게 대했다.

아이는 도우미가 말려도 움직이려고 해서 도우미는 아이의 불만을 천천히 물으면서 알아낸 뒤에 심심함을 덜어 주려고 놀아 주었다.

"저기에 있는 도우미는 아이들을 정말 잘 아나 봐."

"너도 저런 도우미가 되고 싶은 거지?"

"당연하지! 나도 저런 도우미가 되면 얼마나 좋을까?"

아인은 드리머의 물음에 격하게 공감하면서 아이를 놀아 주는 도우미를 보았다.

간식을 하나씩 먹고 있던 류인태가 빙판을 가리키며 물었다.

"저기 빙판 위에 사람들이 있는데, 뭘 설치하는 거 같지 않니?"

드리머와 아인이 류인태가 가리킨 곳을 보았다.

“음… 아무래도 뭔가를 설치하는 거 같기는 한데…”

“무엇을 설치하는 걸까?”

어두워서 잘 보이지 않았기에 드리머와 아인, 류인태는 무엇을 설치하는지 궁금해서 계속 쳐다보았다. 그들의 행동을 잠깐 본 금잔하가 그들 옆으로 가서 그들이 보는 곳을 보았지만, 잘 보이지 않았다.

“뭘 보는 거니?”

“저기에 사람들이 있는 거 같은데, 뭔가를 설치하는 거 같아서 무엇을 설치하는지 알아내려고 했지.”

“그래? … 정말 누군가가 있는 거 같기는 하네. 잘 안 보이지만. … 너희는 어떻게 생각해?”

금잔하가 간식을 먹으며 다른 곳을 보는 복태현과 새파란, 민다린에게 물었다.

밤하늘을 보던 민다린이 금잔하를 보며 물었다.

“응? 뭐가?”

“저기 봐 봐.”

복태현과 새파란, 민다린은 사람들이 있는 곳을 보았다. 복태현은 밤에도 많이 생활해 보았고 탐험을 많이 해 보았기에 다른 아이들보다 밤에 움직임을 더 잘 볼 수 있었다.

“저기에 사람들이 어떤 기계를 설치하고 있는 거 같아.”

“기계?” 아인은 빙판 위에다가 어떤 기계를 설치한다는 것이 흥미로워서 반응이 컸다. “어떤 기계인지 알아?”

“그것까지는 나도 모르겠어.”

그들은 그 기계가 어떤 기계인지 유추하면서 선물을 기다렸다.

“모두 오래 기다리셨어요. 이제 곧 겨울 축제의 마지막인 구계가 시작될 예정이니, 빙판 위쪽을 바라봐 주시면 감사하겠습니다.”

그곳에 있는 사람들은 방송에서 나오는 안내에 따라 하늘을 보았다.

"드리머, 이제 곧 선물이 하늘에서 나타날 것이니. 잘 봐 두렴."

고개를 들고 하늘을 보는 어머니는 입가에 미소를 띠면서 한 손으로 드리머를 안았다.

'선물? 하늘에서 선물이 나타난다고?'

혼자만의 상상에 빠진 드리머는 두근거리는 마음으로 기대했다.

슈웅… 펑! 슈우웅… 펑펑. 하늘 위로 구름이 터졌다.

"와아!" "정말 멋지다!"

그곳에 있는 아이들의 감탄이 이곳저곳에서 들렸고 드리머도 그들과 같았다.

"정말 멋져요! 전에 봤던 거 같은데… 정말 멋진 거 같아요!"

드리머는 하늘 위로 터지듯이 퍼지는 구름에 감탄하면서 그 장면을 머릿속에 담았다.

여러 색의 구름이 퍼지면서 모양을 만든 뒤에 몇 초 뒤에 사라지는 것이 그것을 처음 본 아이들에게 아주 깊은 인상을 심어 주었다. 그들이 구계에 감명을 받는 것은 그것을 매년 하는 것이 아니었기에 그런 것이었다.

겨울 축제가 거의 마무리되어 갈 즈음에 도우미들이 남아 있는 사람들을 안전하게 퇴장시키기 위해 움직이기 시작했다.

"모두 조심해서 이동해 주시면 감사하겠습니다. … 밤이어서 어두우니, 다른 사람과 부딪치지 않도록 어느 정도 거리를 유지해서 이동하겠습니다!"

구계의 소리가 커서 그곳에 있는 사람들이 잘 들을 수 없었기에 도우미들도 큰 소리로 외쳐야 했다.

드리머가 있는 정자로 도우미가 다가왔다.

"곧 이동해야 해서 자리를 정리하고 준비를 해 주세요!"

드리머네와 가족들은 자리를 깔끔하게 정리를 해 놓고서 놓고 가는 것은 없는지 확인한 뒤에 구계를 보았다.

“정리는 다하셨나요?” 도우미가 와서 그들의 자리와 반응을 보았다. “그러면 이동하겠습니다! 출구 쪽과 가까운 분들 먼저 일어나서 이동하겠습니다!”

출구 쪽에 가까이 있던 새파란네가 먼저 일어났고 나머지 가족들도 차례대로 일어나서 이동했다.

먼저 일어난 가족들이 입구를 통과하고서 한곳에 모일 수 있도록 기다렸다.

이제 DWN이 방송할 시간이 거의 다 되어 가서 간단하게 인사를 하고서 집으로 향했다.

그중에서 집이 가장 먼 곳에 있는 아인네 가족이 잘 준비를 마치고 DWN을 보려면 시간이 빠듯했기에 바로 가야 했다.

드리머네와 아인네 가족이 같은 방향이어서 같이 이동했다.

“오늘 정말 멋지지 않았니?”

두 손을 모으고 감탄하는 아인이 물었다.

드리머는 아인의 반응이 너무나도 커서 어쩔 줄 몰라 했다.

“나는 구계를 또 보고 싶다!”

“그건 정말 아름다웠어. 선물이라고 해도 될 정도로 말이지.”

“그런 아름다움은 항상 좋지. … 내일은 어떤 꿈의 세계로 들어갈까?”

옆에서 듣고 있던 류인태가 하늘을 보며 물었다.

지나가다가 나무를 본 아인은 무힌이 떠올랐고 화산이 생각났다.

드리머네 집 앞에 도착하고 아인네 가족과 인사를 하며 각자 갈 길을 갔다.

“이제 씻고 DWN을 보자구나.”

어머니가 현관문을 닫으면서 말했다.

“네!” 드리머와 류인태는 쉬고 싶어서 바쁘게 움직였다.

부모님은 그들의 행동에 웃으면서 옷을 갈아입으러 갔다.

"안녕하세요! DWN이에요! 오늘 구게! 정말 멋지지 않았나요? 이런 축제가 매년 있으면 좋겠지만, 아쉽게도 그럴 수는 없어요. 그래도 여러분의 마음속, 머릿속에 남아 있는 것이 사라질 즈음에 다시 나타날 것이니. 너무 실망하지 말아요! 그리고 오늘은 8살이 되는 아이들 …… 다른 학년은 매번 올 때처럼 1시간 늦게 오는 걸로 할게요! 이상 DWN이었습니다!"

DWN이 끝나서 어머니가 드리머와 류인태를 보았는데, 그들의 눈은 이미 반쯤 감겨 있었고 졸린 것을 참고 있었다.

부모님은 드리머와 류인태를 방으로 데려가서 눕혔고 그들이 잘 잘 수 있도록 이불을 덮어 주었다.

졸렸던 드리머는 베개를 베자마자 바로 잠이 들었지만, 누군가가 들고 왔다는 것 정도는 알고 있었다.

2
특이한 꿈의 주인

엘그프 3단계로 가는 드리머와 류인태는 헤매지 않고 잘 갔지만, 엘그프 단계가 높아질수록 더 많은 계단을 올라가야 했다.

드리머는 단계를 무사히 올라갔다는 것에 기분은 좋았지만, 계단을 올라가는 것이 힘들었다.

3단계에 도착하고 드리머와 류인태는 각자의 자리로 향했다.

드리머는 가자마자 책들이 잘 있는지 서랍을 확인했다.

'책들은 그대로인 것 같아. 다행이다.'

드리머가 책을 확인하는 동안 아인이 왔다.

"드리머, 책 보고 있었니?"

"응. 전에 깜빡하고 챙기지 않았었거든."

"그래도 다 있다니까, 다행이다. … 그나저나 이번에는 어떤 꿈의 세계로 들어갈까?"

아인이 어떤 꿈의 세계로 들어갈지 고민하고 있지만, 그녀가 원하는 꿈의 세계는 이미 경험했고 그것에 대해 배우고 있었기에 크게 고민되지 않았다.

드리머는 아인과는 다르게 아직 꿈이 없었기에 어떤 꿈의 세계로 들어가고 어떤 어려운 일이 있을지 걱정되었다.

"엘그프 3단계로 온 것을 축하해요! 이번에도 디프의 설명을 듣고서 꿈의 세계로 들어갈 예정이에요. 모두가 즐거운 경험을 했으면 좋겠어요."

엘그프 3단계에 있는 아이들 중 대부분이 방송에 집중을 하지 않았다. 그들이 집중을 하지 않는 것은 이미 알고 있는 것들이었고 2년 동안 엘그프 단계에 있으면서 친해진 아이들이 많아져서 대화를 나누고 싶어서였다.

"모두 자리로 가세요. 여러분이 모두 앉을 때까지 꿈의 세계로 가지 않을 거예요."

빨리 꿈의 세계로 가고 싶었던 아이들은 하나둘씩 자리로 가서 앉기 시작했고 꿈의 세계로 갈 준비를 했다.

몇 분이 지나고 한 명씩 꿈의 세계로 가기 시작했다.

드리머와 아인, 류인태는 디프가 잘 보이는 곳에 앉았다. 디프는 공중에서 아이들이 모두 왔는지 확인했다.

"모두 잘 왔어요! 이번 3단계에서도 모두가 열심히 해 주면 좋겠어요. 다른 설명은 하지 않을 거고 여기서 마칠게요!"

디프도 아이들이 같은 설명을 듣는 것을 별로 좋아하지 않는 것을 알았기에 짧고 간결하게 그들을 반기고서 끝냈다.

아이들이 자리에서 일어나더니, 꿈의 세계의 디떠블유 센터에서 나갔다.

드리머도 나가려고 했는데, 아인이 그의 손목을 잡으며 말렸다.

"조금만 있다가 나가는 게 좋을 것 같아."

"왜? 할 게 있는 거니?"

드리머의 물음에 아인은 고개를 저었다.

"아니. 그런 게 아니라. 지금 나가면 다른 단계의 사람들하고 겹

쳐서 혼잡할 거야."

"아아. 그렇지?" 드리머가 문을 보며 말했다. "우리가 3층이어서 다른 사람들하고 겹치면 복잡하긴 하겠다."

류인태는 옆에서 고개를 끄덕이며 그들의 말에 동의했다.

공중에서 아이들을 보고 있던 디프가 그들에게 내려왔다.

"여러분은 꿈의 세계로 가지 않는 건가요?"

"조금만 있다가 가려고요. 층이 조금 높아져서 복잡해진 거 같아요."

아인이 빙그레 웃으며 말했다.

자리에 앉아 있던 복태현이 그들에게 다가와서 근처에 앉았다.

드리머가 복태현에게 손을 흔들면서 반가워했고 나머지 아이들이 어디에 있는지 확인했지만, 그들은 이미 나갔는지 그곳에서 보이지 않았다. '잔하와 다린, 파란이 없네.' 그는 그들을 놓친 것은 아닐까 하는 생각을 하며 다시 한번 방 안을 둘러보았다.

복태현이 입구로 가서 밖을 본 뒤에 그들에게 외쳤다.

"이제 사람들이 많이 없어! 이제 가도 될 거 같은데?"

"그래? 그러면 어서 일어나자!"

아인은 옷을 정리하면서 드리머와 류인태를 일으켰다.

디프는 아이들이 가는 모습을 보며 손을 흔들었다.

엘그프 3단계 문 앞에서 밖을 보았다. 천천히 걸어가는 사람들, 허겁지겁 달려가는 사람 등 다양한 사람들이 아직도 그곳에 있었다.

아인은 아직도 많이 남은 사람들을 보고 내려가야 할지 말아야 할지 엘그프 방 옆에 있는 의자에 앉아서 고민했다.

"조금 더 있어야 할 것 같네."

드리머가 1층을 보며 말했다.

"응. 조금만 더 있으면 괜찮아질 거 같아. 어쩌면 태현이 근처만 보았을 수도 있다고 생각해."

복태현은 검지로 입술을 긁으며 무슨 말인지 모르겠다는 표정으로 아인을 바라보았다.

사람들이 거의 다 나가고 드리머와 아이들이 나갔다.
빨리 꿈의 세계로 가고 싶었던 아인은 기다리느라 지루했었는데, 밖을 보니 그 지루함이 싹 다 사라졌다.
"휴. 드디어 밖으로 나왔네."
"이번에는 어떤 꿈의 세계로 들어갈 수 있을까?"
류인태는 두근거리는 마음으로 꿈의 세계로 갈 수 있는 사람들을 보았다.
드리머는 금잔하와 민다린, 새파란이 근처에 있을 것 같아서 보았는데, 그들은 이미 꿈의 세계로 간 것인지, 보이지 않았다.
'다들 정말로 갔나 보네.'
꿈의 세계로 가고 싶었던 아인과 류인태가 우선 내려가 보자고 해서 다 같이 이동했다.
길을 걸으면서 각자 들어가고 싶은 꿈의 세계를 찾아보는데, 걸어 다니는 사람들의 겉모습만 보고 그들이 어떤 꿈을 꾸는지, 어떤 직업인지 알 수 없었기에 자세히 보아야 했다.
의사나 간호사인 사람들은 청진기가 아닌 인식기를 가지고 있는데, 그 인식기가 대놓고 보이는 것이 아니어서 주머니나 손목을 보고 추측을 해야 하는 어려움도 있지만, 쉽게 찾을 수 있는 경우도 있다.
류인태는 길을 걸으면서 어떤 손동작을 하는 사람을 보았다. 뭔가 특이해 보여서 마음에 들었던 그는 그 사람의 꿈의 세계로 들어가고 싶었다.
"나는 정했어! 내가 가리키는 사람이야."
드리머와 아인, 복태현은 류인태가 가리킨 사람을 보았다.
류인태가 가리킨 사람은 어디서 가져왔는지, 물건을 이것저것 꺼냈다가 사라지게 했다.

"와! 정말 신기하다!"

그 사람을 보고 감탄한 아인이 외쳤다.

"우리, 저 사람의 꿈의 세계로 들어가 보자!"

류인태는 아이들에게 말하고서 바로 그 사람의 꿈의 세계로 들어갔고 뒤이어 약속이라도 한 듯이 아인과 드리머, 복태현이 들어갔다. 이번에는 미리 말하고 간 것이어서 모두가 두근거리는 마음으로 꿈의 세계로 갈 수 있었다.

드리머가 코치와 꿈의 세계로 들어갔는데, 그곳은 1단계일 때 갔었던 이상한 꿈의 세계처럼 구름이 펼쳐져 있었다.

"우리가 또 이상한 곳으로 왔나?"

드리머가 주위를 살피면서 곤란해하고 있을 때, 류인태가 그곳에 도착했다.

"여기는 어딜까?"

"아무래도 전에 갔었던 이상한 꿈의 세계 같아. 끝도 안 보이고 미끄럼틀도 없고…"

드리머는 류인태도 와서 그곳이 이상한 꿈의 세계라고 생각했다.

류인태는 전에 겪었던 경험을 다시 겪고 싶지 않아서 돌아갈 수 있는 방법이 있는지 주위를 자세하게 살폈다.

'방법이 있을 거야.'

드리머와 류인태가 돌아다니는 동안 아인이 도착해서 주위를 살폈다.

"여기는 어디지? … 우리가 꿈의 세계로 들어가지 못한 건가?"

"오! 아인! 여기에 왔구나?"

"여기가 어딘지 아는 거니?"

"응. 여기는 이상한 꿈의 세계일 거야. 전에 나와 인태가 갔었던 곳이지.”

“그때 구멍으로 떨어졌던 곳이라고? 비도 오고 번개도 쳤다는…”

“맞아! 처음으로 비랑 번개를 봤었지.”

드리머는 그때를 다시 떠올렸더니 몸이 떨렸다. 아인은 그가 몸을 떨어서 그때의 기억이 정말 좋지 않다는 것을 느꼈기에 더 이상 묻지 않고 류인태처럼 그곳에서 나갈 방법을 찾으려고 했다.

마지막으로 복태현이 도착하고 그들은 한곳에 모여서 나갈 수 있는 방법에 대해 논의했다. 그들이 논의를 하고 있는데, 어디선가 말소리가 들렸다.

“이상한 꿈의 세계라고? 하하하! 웃기는 아이들이군.”

“뭐지?” 말소리에 빠르게 반응한 아인이 물었다. “여기에 누가 있는 거 같은데?”

드리머와 류인태, 복태현은 아인의 말에 주위를 둘러보았지만, 아무것도 없었고 아무도 보이지 않았다.

“설마 우리가 뭔가에 갇혀 있는 건 아니겠지?”

류인태가 걱정과 두려움이 섞인 표정으로 물었다.

드리머는 류인태의 말이 사실이 될까 봐 무서워서 침을 꿀꺽 삼켰다.

슝. 두려워하고 있는 그들 사이로 뭔가가 빠르게 지나갔다.

‘뭐지?’ 드리머는 옆으로 빠르게 지나간 것이 무엇일지 추측했다. ‘새인가? 저렇게 빠르게 나는 새가 있었나?’

복태현이 어딘가를 가더니 무언가를 주워 왔다. “이건 종이 아닌가?” 그가 종이비행기를 조금씩 펼쳤다.

“종이비행기?”

종이비행기를 펼치고 있는 복태현에게 다가가는 아인이 물었다.

복태현은 다 펼친 종이를 들어서 아인에게 보여 주었고 드리머와 류인태도 그곳으로 가서 보았다.

슝. 그들이 종이를 보는데, 뭔가가 또 지나갔다.

이번에는 류인태가 종이비행기를 가지고 왔다.

"이것도 종이비행기야."

"하하하! 이건 너무 빨라서 무서웠나?"

어디선가 들려오는 목소리에서 그들의 모습을 보고 웃고 있다는 것을 알 수 있었다.

"우리를 보고 있는 것이 분명해. 그렇다는 것은…"

뭔가를 알아챈 듯한 류인태가 양팔을 빠르게 흔들며 달렸다.

누군가의 모습이 나타나더니 달려가는 류인태의 옷깃을 잡았다.

"어어. 그만 가라고…"

"누구세요?"

류인태는 처음 본 사람인데도 놀라지 않았다.

"나는 마션이라고 불리지."

"마션? 어디서 들어 봤는데?"

아인은 마션이라는 단어가 낯설지 않아서 어디서 들어 봤는지 고민했다.

류인태가 놀라며 물었다.

"마션이라면 도구와 기술을 사용해서 사람들을 즐겁게 해 주는 사람 아닌가요?"

"오호… 친구. 마션을 잘 알고 있구나?" 허리를 곧바르게 굽힌 마션이 류인태의 머리를 쓰다듬으면서 물었다. "아직 너희 나이 때에는 마션이라는 단어를 잘 모를 텐데… 친구, 마션에 관심이 있나 보네?"

류인태는 마션이 하는 물음에 고개를 끄덕였다.

마션은 웃으면서 허리를 세웠고 뭔가를 흩날리더니, 그곳에서 사라졌다.

"와아! 정말 멋있다!"

류인태는 마션이 사라진 장면을 보고 믿을 수 없다는 표정을 지으며 설렜고 드리머는 놀라움을 넘어서 신기했고 어디로 갔는지, 찾으려고 했다.

'어디로 간 거지?'

갑자기 하늘에서 꽃가루가 흩날려서 류인태가 흩날리는 꽃가루를 하나 잡았다. 꽃가루가 완전히 바닥으로 떨어지고 그들 사이에서 마션이 나타났다.

드리머는 깜짝 놀라서 마션의 모습을 살폈다.

밝게 웃는 마션의 손바닥 위에는 어디서 가져왔는지 모르는 종이학이 있었고 그들에게 하나씩 나눠 주었다.

드리머는 어디서 가져온 건지 몰라서 안쪽에 기계가 있을 거라고 생각하며 내부가 보이는 틈을 보았지만, 기계는 보이지 않았다.

'이걸 어떻게 갑자기 생기게 한 거지?'

류인태의 눈은 마션에게 푹 빠진 듯해 보였다.

딱. 마션이 손짓을 하더니, 그곳을 밝히던 조명이 꺼지면서 다른 조명이 켜졌다.

"안녕? 이번에는 너희가 왔구나!"

마션이 그곳을 청소하면서 그들을 반겼다.

그들은 청소를 하는 마션에게 인사를 하고서 그를 도우려고 그곳에 떨어진 것들을 줍기 시작했다.

"원래 바닥에 떨어진 것들은 관계자를 제외하고서는 건드리지 못하게 하지만, 너희는 나를 도와주러 왔으니… 관계자라고 해도 되겠지? 하하!"

드리머는 왜 관계자를 제외하고 건드리면 안 되는지 궁금해서 마션에게 왜 그런지 물었다.

"왜 관계자를 제외하고 주우면 안 되는 건가요?"

바닥으로 떨어진 종이와 꽃가루를 주워서 마션에게 건네주는 류인태가 말했다.

"그건 이 물건에 어떤 비밀이 있는지 모르게 하려고 하는 거야.

만약에 어떤 장치를 사용했다면 그것을 들켜서는 안 되니까."

"오! 너는 이것에 대해 어느 정도 알고 있는구나?" 마션이 반가워하며 말했다. "이 친구가 한 말이 맞아. 내가 어떤 기술을 사용해서 어떻게 이것을 꺼냈는지 모르게 하려고 하는 거지. 만약 이걸 알게 되면 궁금해하지 않을 거니까."

"아아…" 주운 것을 마션에게 주려던 아인은 그의 말을 이해해서 자신이 주운 것에도 어떤 비밀이 있는 건가 해서 자세하게 보았다.

마션이 아인의 손바닥에 있는 종이와 꽃가루를 가져가면서 말했다. "여기에는 어떠한 비밀도 없단다." 그는 그녀의 행동을 귀여워하며 복태현에게 갔다.

그들이 처음 왔을 때처럼 청소를 마친 그들은 그곳에 있는 구름위에 앉았다. 드리머가 구름이 진짜인지 인공으로 만든 것인지 만져 보는데, 드리머만 구름이 진짜인지 궁금해하는 것이 아니어서 마션이 구름을 만지면서 물었다.

"이 구름이 신기하지? 이게 진짜일까, 아닐까?"

마션의 물음을 들은 아이들은 더 헷갈리기 시작했다.

'이게 인공적으로 만든 구름이어서 그런 것일까? 아니면 진짜 구름을 가져와서 그런 것일까?' 드리머는 마션의 물음에 대한 답을 찾으려고 곰곰이 생각했다. '만약 이게 진짜 구름이라면 이렇게 있을 수는 없을 거 같은데…'

하나의 주제를 가지고 논의를 하는 것을 좋아하는 아이들은 몇 분 동안 의견을 내면서 구름이 어떤 것인지 추측해 보았다.

"다들 너무 진지하네?" 자리에서 일어난 마션이 그들의 궁금증을 해결해 주었다. "이건 기계로 만든 거란다. 어쩌면 당연하겠지만?" 그는 구름의 정답을 알려 주고 그곳에서 나갔다.

아이들은 마션을 놓치면 안 될 것 같아서 급하게 그가 나간 곳으로 따라서 나갔다. 그를 따라서 나간 곳에는 여러 개의 똑같은 방문들이 있었다.

"우리는 어디로 가야 하는 걸까?"

류인태가 그곳으로 온 뒤로 처음으로 당황했고 그곳이 처음인 드리머와 아인, 복태현 역시 어디에 무엇이 있는지 알지 못해서 고개를 저으며 문들만 바라보았다.

3
두려움의 방

그들이 어디로 간지 모르는 마션을 기다렸지만, 그는 오지 않았고 아인이 살짝 열려 있는 방문을 발견했다.

"얘들아! 저기에 있는 문이 살짝 열려 있는 거 같은데?"

마션에 관한 정보를 알아낼 수 있는 기회가 생긴 것 같아서 신이 난 류인태와 모험을 좋아하는 복태현이 바로 달려갔다.

"정말! … 그러면 마션이 이곳으로 들어갔다는 건가?"

"그럴 수도 있겠는데? 우선 들어가 보자!"

그곳이 어떤 곳인지 궁금해하는 류인태가 문을 열려고 해서 아인이 말렸다. 그는 그녀가 말리는데도 문틈으로 안을 보았다.

"와아… 이 이상한 방은 뭐지?"

"왜? 어떤 방인데?"

들어가는 것은 무섭지만, 안쪽이 궁금한 아인이 류인태의 뒤에서 고개를 위로 쭉 들어서 안쪽을 보려고 했고 궁금했던 드리머도 그들의 뒤로 와서 까치발을 들며 안쪽을 확인했다.

류인태는 안쪽이 궁금해서 슬쩍 보는 그들을 위해 문을 활짝 열었다.

"어?" 활짝 열린 문에 놀란 아인의 눈이 커졌고 눈썹이 위로 올라갔다.

류인태와 복태현이 먼저 방 안으로 들어갔다.

"이곳은 뭘 하는 곳일까?"

"그러게… 뭔가 다양해."

그들이 주위를 둘러보면서 어떤 곳인지 알아내려고 해서 드리머도 들어가려고 했는데, 아인이 그의 손목을 잡았다. 그는 그녀가 왜 손목을 잡았는지 물어보려고 그녀의 얼굴을 보았는데, 그녀가 고개를 저었다.

저번에는 아인이 말렸을 때 가지 않았지만, 이번에는 드리머가 그의 손목을 잡은 그녀의 손등에 손을 올리면서 괜찮다는 것을 전했다. 그녀에게 그의 마음이 전해졌는지 손목을 놓았고 그와 같이 천천히 안으로 들어갔다.

이미 복태현과 안쪽까지 간 류인태가 슬금슬금 오는 드리머와 아인에게 손짓을 하며 외쳤다.

"아무것도 없어! 단순히 꾸며 놓은 방 같아."

류인태가 아무것도 없다고 했지만, 아인은 그곳에 어떤 것이 있는지 몰랐기에 긴장을 풀지 못했다.

드리머가 류인태와 복태현이 있는 곳까지 가면서 중간중간에 반짝거리는 것 같다는 느낌이 들었다. '이곳에서 반짝거릴 만한 것이 없는 거 같은데?' 그는 어떤 주제를 가지고 만든 방이라고 생각하며 신기해했다. '이곳에는 어떤 것이 숨겨져 있는 거지?'

"너희들… 이곳까지 따라오다니. 너희는 이곳에 무엇이 있는 줄 알고 온 거지?"

이번에도 마션의 목소리가 들렸지만, 그의 모습은 보이지 않았다. 푹. 그의 말이 끝나자마자 날카로운 것이 그들 쪽으로 날아왔는데, 그들은 맞지 않고 꾸며 놓은 장식에 맞았다.

"이게 뭐지?" 복태현은 날아온 것이 무엇인지 궁금해서 장식에 박힌 날카로운 물건을 빼서 구경했다. "이건 진짜 같은데? 아까처럼 종이가 아니야!"

"뭐라고?"

"내가 여기에 들어오면 안 된다고 했잖아!"

겁에 질린 아인이 방에서 나가려고 입구로 가는데, 문이 굳게 닫혔고 그녀가 문에 도착하려고 할 때, 그곳으로도 뭔가가 날아갔다.

"으아! 왜 우리를 공격하는 거지?"

아인이 무서워서 양손으로 얼굴을 가리면서 그들에게 갔다.

드리머도 놀라서 심장이 쿵쿵 뛰면서 긴장이 되었다.

구석에 숨을 곳을 찾은 복태현이 그곳으로 오라고 손짓했다.

류인태는 드리머와 아인이 무사히 그곳으로 올 수 있도록 지켜보다가 날아오는 것이 뭔가 이상하다는 것을 느꼈다. '뭔가 이상한데?' 그가 뭐가 이상한 건지 알아보려고 할 때, 드리머와 아인이 도착해서 복태현이 있는 곳으로 들어가라고 손짓했다.

숨을 곳으로 들어온 아인은 그곳이 좁아서 무릎을 구부렸고 숨을 고르면서 놀란 마음을 진정시켰다.

"후우… 이런 곳이 있었네."

"일부러 이런 곳을 만들어 놓은 거 같지 않니?"

날아오는 것이 뭐가 이상한지 생각하는 류인태가 숨은 곳의 크기를 보고 물었다.

드리머와 아인, 복태현은 갑자기 굳은 듯한 류인태의 표정을 보고 고개를 끄덕였다.

류인태에게 고민이 있는 것 같다고 생각한 아인이 작은 소리로 물었다.

"뭔가 인태에게 고민이 있는 것 같지 않니?"

드리머와 복태현도 아인이 말한 것을 느끼고 있어서 고개를 끄덕였다.

"인태, 무슨 일이야?"

"아… 아까 너희가 오는 것을 보다가 날아오는 것이 이상해 보였거든. 그래서 뭐가 이상한 건지 생각하고 있었어."

"그랬구나. 그래서 뭐가 이상한 건지 알아냈니?"

아인이 궁금함과 걱정이 섞인 마음으로 물었다.

류인태는 고개를 약간 숙이며 고개를 저었다.

드리머는 류인태의 고민을 해결할 수 있는 방법을 이미 알고 있었다.

"나한테 그걸 해결할 수 있는 방법이 있어."

"정말?" 아인과 류인태가 놀라면서 물었다.

드리머는 자신만만한 표정으로 고개를 끄덕였고 그것을 실행하기 위해 바깥쪽에 있는 류인태와 자리를 바꾸었다. '우리에게 날아왔던 것을 가져오기만 하면 되는 거잖아? 쉽지는 않겠지?' 그는 날아오다가 바닥에 떨어진 것들을 보면서 어떻게 하면 가져올 수 있을지 생각했다.

드리머가 마음을 먹고 바깥으로 나가려고 할 때, 류인태가 이상한 것이 무엇인지 알아냈다.

"우리한테 날아왔던 것이 다른 것일 수도 있어."

"다른 것이라고? 어떤 게?"

"처음에 날아왔던 것은 우리에게 아주 빠르게 날아오더니 장식에 박혔잖아? 그건 정말 단단한 재질인 거고 그 뒤로 날아오는 것들은 다른 재질인 거지 … 처음보다 약한 재질이랄까?"

"그러면 그 재질이 무엇인지 알려면 그걸 가져와야겠네?"

류인태는 아인의 물음에 고개를 끄덕이며 같은 생각을 하고 있다는 것을 알렸다.

드리머는 그 말을 듣고 바로 그곳에서 나갔다. 류인태가 말한 대로 처음에 날아오는 것은 정말 빠르게 날아왔고 다음에 날아오는 것은 조금 느렸다. '인태가 말한 대로인 거 같은데? 약간 느려. 내가 저걸 가져가면 되는 거지?' 그는 처음 날아온 것 다음으로 날아온 것을 챙겨서 다급히 그들에게 갔다. "후우… 여기 있어."

그가 주운 것을 류인태에게 주었다.

류인태는 받은 것을 아인과 복태현이 볼 수 있는 곳에 두고 자세히 보았다. 드리머도 숨을 돌리면서 가져온 것을 보았는데, 처음 날아온 것과 달라 보이는 것이 딱히 없어 보였다.

류인태가 날카로워 보이는 부분을 보았는데, 이상하게 뜯겨 있는 부분이 있었다. '약간 뜯겨 있는 거 같은데?' 그는 뜯겨 있는 부분을 뜯어보았다.

뜯겨 있는 부분을 완전히 뜯었더니, 그것은 처음 것과 똑같은 모양으로 만든 종이였다.

"이거 종이인데?"

어떤 재질인지 알려고 종이를 문지르는 아인이 말했다.

"내가 봐도 그런 거 같아. 정말 잘 만들었다."

"근데 이게 왜 우리에게 날아오는 거지?"

"그러니까… 마션이 우리를 시험하는 것은 아니겠지?"

그 방으로 들어갔을 때, 마션이 그들에게 말한 것을 떠올린 아인이 그를 의심하면서 왜 그러는지 생각해 보았다.

드리머는 길이 더 있는지 살펴보았다. '저기는 우리가 왔던 곳과 다른 곳인 거 같아.' 그는 그들이 지나가야 하는 공간에서 다른 분위기를 풍기고 있어서 그곳이 어떤 곳일지 보며 아이들에게 말했다. "저기는 우리가 온 곳과 다른 곳인 거 같은데?"

앞에 있는 공간을 가리키는데, 그들에게 날아왔던 종이가 어떤 지점을 넘지 않는다는 것을 알 수 있었다.

"저기까지 종이가 날아간 것을 보니까, 저곳으로 가면 저것들은 날아오지 않겠는데?"

드리머가 어느 곳을 가리키며 물었다.

류인태와 복태현이 드리머가 가리킨 곳을 보려고 비좁은 곳에서 움직여서 불편했지만, 드리머와 아인이 자리를 잘 바꿔 주어서 바깥쪽으로 이동할 수 있었다.

"그럼 내가 한번 가 볼게."

복태현이 그곳에서 나갈 준비를 하며 말했다.

류인태는 그곳으로 가도 괜찮은지 알아보려고 설치되어 있는 것들을 파악하려고 했지만, 복태현은 왼쪽을 한 번 보더니, 바로 그곳에서 나가 그들이 가려고 했던 곳으로 뛰었다.

드리머는 복태현의 용기가 대단하다고 생각했다. '와… 정말 대단한걸? 저런 곳을 바로 가다니…'

류인태는 복태현이 도착했는데도 주위에 뭔가가 움직이거나 날아오는 것이 없어 보여서 그를 따라 그곳으로 갔다.

드리머와 아인도 복태현과 류인태가 있는 곳으로 가려고 바깥쪽으로 갔는데, 날아오는 것이 종이라는 것을 알고 있음에도 용기가 나지 않았다.

"어어!" 류인태가 오른쪽 위를 보더니 놀랐고 급하게 복태현을 데리고 드리머와 아인이 있는 곳으로 갔다.

바깥으로 나가려던 드리머와 아인은 복태현을 데리고 오는 류인태의 모습에 안쪽으로 들어갔다.

"왜? 무슨 일이 생겼니?"

아인이 류인태와 복태현의 상태를 확인하며 물었다.

놀란 마음을 진정시킨 류인태는 그가 보았던 장면을 드리머와 아인에게 알려 주었다.

"우리가 저곳에 도착했는데, 이곳에서 보이지 않는 오른쪽에서 뭔가가 떨어지고 있었어. 그게 어떤 건지는 모르겠지만, 우리 위로 떨어졌다면 크게 다쳤을 수도 있었을 거야."

쿵! 커다란 공이 떨어지면서 그들이 가려는 곳의 입구를 막았다.

"정말 위험했네." 아인이 다행이라고 생각하면서도 그들이 가려던 곳의 입구에 떡하니 놓인 큰 공에 지나갈 수 없을까 봐 걱정됐다. "이제 우리는 어떻게 해야 할까? 저곳을 지나야 하는데, 저곳을 지날 수 없게 되었어."

드리머와 류인태, 복태현은 갑작스러운 장애물에 곤란했고 큰 공을 지나갈 수 있는 방법이 있는지 논의했다.

"저 위로 갈 수 있을까?"

모험에 능숙한 복태현이 공의 위쪽을 가리키면서 물은 뒤에 공으로 향했다.

"조심해!" 마션이 듣지 못하게 아인이 작게 외치면서 주의를 주었다.

'그런데 종이면 안 아프지 않을까?' 그들에게 날아오는 것이 종이라는 것을 알게 된 류인태는 그것이 아플지 궁금해서 손을 내밀었다. '우리에게 날릴 정도라면 아프지 않아서 날리는 것이 아닐까?'

툭. 종이는 류인태의 손으로 날아와서 부딪쳤다.

"이거 우리가 맞아도 그렇게 아프지는 않은 거 같은데?"

류인태가 드리머와 아인에게 말하면서 바깥으로 나갔다. 투두둑. 그에게 날아온 종이들은 하나둘씩 떨어졌다. 종이가 떨어진 것을 본 아인이 숨어 있던 곳에서 나왔고 드리머도 나와서 복태현에게 갔다.

복태현이 주머니에 있던 장갑을 착용하고 공을 오르려고 했지만, 공을 오르는 것은 쉬운 일이 아니었고 공이 나왔던 곳에서 다른 공이 대기하고 있었기에 오르는 것은 그만두어야 했다.

"이곳을 오르지 못할 것 같아. 다른 방법을 찾아보자."

"다른 방법이 있을까?"

류인태는 공 주위를 유심히 살폈다. 공이 둥근 모양이어서 양쪽 끝에 틈이 있었다. 그것을 발견한 그는 그들이 그곳을 통과할 수 있을지 몸을 넣어 보았다. "으… 으…"

드리머와 아인, 복태현은 위쪽을 보거나 장애물이 날아오는 곳을 보고 있었다. 그들이 이곳저곳을 보는 사이에 작은 틈 사이로 들어간 류인태가 외쳤다.

"얘들아! 여기야!"

장애물이 날아오던 곳을 보던 아인이 류인태의 목소리가 들리는 곳으로 고개를 돌리며 물었다.

"어디에 있니?"

"나는 여기에 있어!"

류인태는 그곳에서 다시 나가고 싶지 않아서 팔만 쭉 뻗어서 그가 있는 위치를 그들에게 알렸다.

"왜 그러고 있는 거니?"

"우리가 이곳을 통해서만 이 공을 넘어갈 수 있을 거 같아."

"그런데 넘어가지 않고 그곳에 있는 거야?"

류인태는 앉아 있는 곳이 좁아서 고개를 천천히 돌려서 아인을 보았다.

"우리가 바로 넘어갔다가 어떤 장애물이 있을지 모르니까."

아인은 류인태의 말을 이해했다.

복태현이 류인태가 들어간 곳으로 들어갔는데, 두 명이 들어갔는데도 꽉 차는 느낌이 들었고 드리머와 아인이 그곳으로 들어가려고 했지만, 들어갈 수 없었다.

"우리는 들어갈 수 없어."

"여기 말고 반대쪽에도 있을 거야."

드리머와 아인은 류인태와 복태현이 있는 곳의 반대편을 보았고 그곳으로 가서 천천히 안으로 들어갔다.

드리머와 아인이 있는 곳도 똑같이 좁아서 가만히 있는 것도 불편했다.

'살짝 불편한데, 어쩔 수 없지.'

드리머는 빨리 그곳에서 나가는 것이 나을 것이라고 판단하고서 장애물이 나올 법한 곳을 보았다. '저기에 하나, 저기에 하나… 생각보다 정말 많네…' 그는 장애물이 나올 법한 곳이 많아 보여서 한숨이 나왔고 심정이 복잡했다.

류인태와 복태현이 함께 장애물을 파악하는데, 그들이 알지 못하는 것들도 많이 있을 것 같아서 한 번쯤은 경험을 해야 완벽하게 알 수 있을 것 같았다. 그들이 작전을 다 짠 뒤에 작전을 실행했다.

류인태가 나가자 어디선가 공이 날아왔다.

"조심해!" 틈에서 류인태를 보고 있던 드리머가 외쳤다.

"왜? 무슨 일이야?"

드리머의 옆에 있어서 류인태의 상황이 보이지 않는 아인이 고개를 움직이면서 물었다.

쾅! 날아온 공은 입구를 막고 있는 공과 부딪치면서 큰 소리가 났다. 큰 소리에 깜짝 놀란 아인의 눈은 다시 커졌고 동상이 된 것처럼 움직임이 없었다.

드리머는 놀라지 않았지만, 입구를 막고 있는 공에서 진동이 느껴져서 몸이 떨렸다. '으으!' 그는 공에서 느껴지는 떨림에 기분이 나빴다.

류인태가 공을 피하고 앞으로 가려고 했는데, 공이 다시 되돌아가면서 그가 있는 곳으로 갔다.

"조심해!" 이번에는 틈에서 나온 복태현이 류인태의 몸을 잡고 밀면서 같이 넘어졌다.

날아온 공은 날아왔던 곳으로 갔다가 다시 그들에게 오면서 왔다 갔다 반복했다. 그들이 공을 피하려고 엎드려서 앞으로 천천히 나아갔다. 공이 오면 고개를 숙여서 틈으로 피했지만, 그 공이 입구에 있는 공보다 훨씬 컸기에 틈도 더 좁았다.

"이래서는 힘들겠는데?"

"밑에서도 뭔가가 올라올 수 있을 거라고 생각했었잖아? 우리가 있는 곳도 조심해야 해. 구멍이 중간중간 있는 것이, 우리가 그곳에 있으면 위험할 것 같아."

복태현이 구멍이 난 바닥을 보며 말했다.

류인태는 공의 위치를 확인하며 고개를 끄덕였다.

"이거, 우리가 안 가도 되려나?" 드리머가 아인에게 물었는데, 여전히 그녀의 움직임은 없었다. "아인, 괜찮은 거야?" 그가 그녀의 팔을 흔들었다.

"어? 어." 드리머가 팔을 흔들어서 정신을 차린 아인이 한숨을 크게 내쉬며 진정했다. "후우… 우리도 가 보자."

드리머가 류인태와 복태현이 그곳을 지나가는 것을 보며 어떻게 해야 하는지 파악한 뒤에 공이 가는 순간, 틈에서 나갔다.

아인은 드리머가 나간 뒤에서야 그들의 상황을 볼 수 있었다. '뭐지? 이렇게나 위험했다고?' 그들이 지나가야 하는 곳을 확인한 그녀는 두려움에 어쩔 줄 몰라 했다. '어떻게 해야 하지?'

드리머가 앞으로 나아가는 것을 알게 된 복태현이 말했다.

"조심해! 구멍이 뚫린 곳에서 뭔가가 튀어나올지 몰라!"

드리머가 바닥을 보았는데, 그곳에 구멍이 있었다. '여기서 뭐가 나올 수도 있다고?' 다급해진 그가 일어나려고 했지만, 공이 오고 있어서 다시 몸을 숙였다. '다행이다. 그래도 빨리 가야겠어.' 그는 구멍이 뚫린 곳에서 벗어나는 것이 우선이라고 생각해서 그곳에서 벗어났다. 그가 구멍이 뚫린 곳을 지나오자 그곳에서는 구멍이 뚫려 있는 만큼 기다란 창 같은 것이 올라왔다.

그것을 본 드리머와 아인은 안도했다.

'조금만 늦었어도 큰일 날 뻔했네.'

아인은 드리머의 위험했던 상황을 보고 정신을 차렸지만, 두려움에 아직도 그곳에서 나가지 못하고 그들을 보며 망설였다. '어떻게 저곳을 지나갈 수 있을까? 안전하게 갈 수 있는 곳은 없을까?' 그녀가 안전한 방법과 안전한 곳을 찾으려 했지만, 그곳에서는 찾을 수 없었다. 하는 수 없이 그녀는 눈을 딱 감고 그곳에서 나갔고 그들이 하는 것이 옳은 방법인 것 같아서 그들을 따라 하며 쫓아갔다.

두려움의 방

힘들게 공이 왔다 갔다 하는 곳을 지나온 그들이 한곳에 모여서 숨을 돌리며 주위를 보았는데, 그들이 있는 곳에는 어떠한 장애물도 나오지 않았다.

아무것도 없다는 것에 의아한 복태현이 위쪽을 보며 물었다.

"아무것도 없는 것이 이상하지 않니?"

여태까지 많은 장애물을 봐 왔기에 복태현의 말에 공감이 되었다.

류인태가 양쪽을 보며 말했다.

"뭔가 이상해. 갑자기 어디선가 날아오거나…"

류인태의 말을 듣고 흠칫해서 바닥을 본 드리머가 되물었다.

"어디서 뭔가가 올라오거나?"

"그런 건 없는 거 같네."

그들이 이곳저곳을 보며 장애물을 찾으려고 했는데, 마션이 나타났다. "어서 오거라. 아이들이여." 그는 자신의 손을 보면서 시선을 움직였고 그들에게 눈길을 주지 않았다.

'우리를 반기는 것이 맞는 건가?'

마션의 행동에 드리머는 혼란스러웠다.

마션은 그들에게 따라오라고 손짓을 하고서 그곳에서 나가는 문으로 걸어갔다. 아이들은 그를 따라가면서도 주위를 계속해서 경계했다. 그들이 그런 모습을 보이는 것은 그를 믿지 못하는 것보다는 그곳에서 어떤 일이 일어날지 모르겠다는 두려움 때문이었다.

두려워하는 그들의 모습을 본 마션이 크게 웃으면서 말했다.

"하하하! 이곳에는 아무것도 없어. 너희가 내 말을 믿는다면 말이지. … 물론 내 직업이 이래서 믿을지는 모르겠지만, 우리는 진실을 말하지."

"무언가를 가리려는 진실인가요?"

류인태가 그곳을 나오면서 주웠던 종이를 보며 물었다.

"어쩌면 그럴 수도 있지."

마션은 류인태의 눈을 가까이에서 빤히 보며 두루뭉술하게 대답했다. 그가 그렇게 보면 무서워할 법도 한데, 류인태는 그 반대였다.

"꺄아!" 출구 쪽에 있던 거울에 비친 모습에 놀란 아인이 거울을 가리키며 소리쳤다.

"왜! 무슨 일이야?" 가장 먼저 반응한 드리머가 아인에게 갔다가 거울이라는 것에 안도했다. "거울이네. 다른 장애물이 있는 줄 알고 놀랐네. 그래도 다행이다. 아무 일도 없었다는 게."

"저 거울이 평범한 거울이라고 생각하는 거니?"

마션은 드리머와 아인에게 의미심장한 말을 하고서 문을 열었다.

문을 열었더니, 약간 밝았던 곳으로 밝은 빛이 들어오면서 환해졌다. 그 빛은 단순히 그곳을 비추는 역할만 하는 것이 아니고 그들에게 안심을 주었다.

"이제 어디로 가는 건가요?"

길을 걸으면서 잘 확인하지 못했던 곳을 보며 걷는 류인태가 물었다.

"나와 너희의 상상 속."

"우리들의 상상 속이요?"

류인태가 이해를 못 해서 다시 되물었는데, 마션은 그것에 대해 대답하지 않았고 기분이 좋은지 발걸음이 가벼웠다.

그들은 마션이 말한 것에 대한 정답을 찾으려고 했다.

"우리들의 상상 속은 무엇을 말하는 걸까?"

"음… 우리가 상상할 정도로 좋은 곳이나…" 놀고 싶었던 복태현이 기대하는 눈빛으로 물었다. "재미있는 곳이 아닐까?"

"나는 방금 그런 곳만 아니었으면 좋겠어."

인상을 찌푸린 아인이 질색하며 말했다.

드리머도 그런 곳에 다시 가고 싶지 않아서 고개를 저었다.

마션은 문이 살짝 열린 곳 앞에 서서 아이들이 모두 있는지 확인했고 모두 있다는 것을 확인하고서 문을 열었다.

류인태가 먼저 방 안을 보았다. 방은 그들이 걱정했던 그런 방이 아니었고 몹시 평범한 방이었다. 책상과 의자, 소파, 거울, 보관함, 도구를 진열한 진열장이 그곳에 있었다.

'여기는 어떤 방일까? 아까보다는 훨씬 작고 평범한데?'

드리머는 너무나도 평범한 방이 어떤 방일지 궁금해졌다.

마션은 그들이 안으로 들어와서 문을 살포시 닫았고 그들에게 원하는 곳에 앉으라고 했다. 그들은 의자와 소파에 앉아서 그를 보았고 그도 어느 작고 기다란 의자에 걸터앉아서 그들을 보며 물었다. "아까 그 방에 대해 알게 된 것이 있니?" 검지로 턱을 쓰는 그는 그들이 얼마나 파악을 했을지 궁금했다.

류인태는 마션에게 대답을 하기 전에 주머니에 있던 종이 수리검을 꺼내서 그에게 내밀었고 그는 그것을 가져갔다.

"우리는 그것이 종이라는 것을 알았어요."

설명을 하는 류인태를 보던 마션은 호기심이 가득한 표정으로 그가 준 수리검을 들어서 자세하게 보았다.

"처음 날아왔던 것이 장식에 꽂혀서 그것이 종이라고 생각하지 않았고 그것을 뽑아서 확인했는데, 그건 종이가 아니었어요. 그것을 확인하자마자 갑자기 어디선가 그것들이 우리에게 날아오더니, 우리를 공격했죠."

마션은 류인태가 설명을 잇지 않아서 거기까지만 알아낸 줄 알았다. '다는 아니지만, 반 정도는 파악한 것 같네.' 그는 생각보다 그들이 많은 것을 알아내서 웃음이 나왔고 다시 류인태에게 종이 수리검을 주려고 손을 내밀었다.

류인태가 수리검을 받으려고 손바닥을 펼치며 설명을 이어했다.

"나는 그것이 뭔가 속임수 같았어요. 아까 했던 말처럼 말이죠. "무언가를 가리려는 진실" … 그게 떠올랐죠."

마션이 계획한 목적을 정확히 파악한 류인태의 말에 수리검을 주려고 펼치려던 손을 멈추었다.

"어떻게 거기까지 확인을 한 거지?"

"마션에 대해 공부를 했었는데, 그것을 바탕으로 생각해 보았어요."

류인태가 머리를 긁적이며 말했다.

마션은 수리검을 류인태의 손바닥 위에 올려놓고서 류인태의 손을 오므렸다. "이건 나의 선물이란다. 어쩌면 추억의 선물이 될 수도 있겠네." 종이를 준 그는 진열대로 향했다. "네 말이 맞다. 우리의 뇌는 한 번 인식한 것을 그대로 믿게 돼서 다음에 날아온 것들이 진짜라고 생각하고 도망치려고 했던 거지. 사실 그 다음에 날아온 것들은 아무 의미가 없는데, 말이지."

아인은 마션이라는 직업에 대해 흥미가 생겼다.

드리머는 어떤 물건이 계속 신경 쓰여서 그것을 가리키며 물었다.

"저 큰 인형은 어디에 사용하는 건가요?"

진열대에서 물건들을 하나씩 보는 마션이 말했다. "그것 또한 무언가를 가리려는 진실과 같은 거지." 그는 드리머가 그 말을 이해했다면 더 이상의 설명은 필요 없을 거라고 생각하고서 코웃음을 쳤다.

드리머는 그 말의 뜻을 이해하지 못해서 고개를 갸우뚱하며 어떤 물건인지 고민했다. 류인태는 고민하는 그의 모습을 보고 알려주려고 입을 열었다가 그가 그것을 알게 되면 재미가 없어질 것 같다고 생각돼서 입을 다시 닫았다.

"혹시 인형을 가까이에서 봐도 되나요?"

드리머가 인형으로 가면서 마션에게 물었다.

마션은 드리머의 호기심 가득한 표정을 보고 미소를 지었다.

인형으로 간 드리머가 앞면을 보는데, 이상이 없어서 눌러 보기도 하고 인형의 팔을 들었다가 놓았다. '뭔가가 없는 거 같은데…' 그는 마션이 했던 말을 다시 떠올렸다. '무언가를 가리려는 진실이라… 그게 뭘까?' 그가 마션의 말을 생각하면서 고민을 하다가 인형의 뒤쪽이 눈에 들어왔다. '저기에 뭘 숨기는 건가?' 그는 뒤쪽을 보려고 인형을 조심스럽게 눕혔다.

인형을 눕혔더니 인형 뒤에는 열고 닫을 수 있는 고리가 있었다.

'이 고리는 뭐지?'

드리머는 고리가 왜 있는지 궁금해서 올라가 있는 고리를 내렸고 사람이 인형 안으로 들어갈 수 있다는 것을 알 수 있었다. 그는 인형 속으로 들어가서 팔과 다리를 넣은 뒤에 팔을 흔들었다.

아인은 드리머가 움직이는 대로 움직이는 인형이 귀여워서 가까이 다가갔다. "인형이 정말 귀엽다! 이래서 무언가를 가리려는 진실이라는 건가?" 그녀가 팔짱을 끼면서 물었다.

류인태가 정답을 맞힌 아인에게 다가왔다. "네가 생각한 것이 맞아." 그는 자신이 알고 있는 내용을 그녀에게 설명했다. "이 안에는 드리머가 있지만, 바깥에서 보는 사람들은 누가 있는지 모르지. 이런 건 어린아이들에게 주로 사용한다고 했어."

"어린아이들이면 우리잖아?"

아인은 자신이 생각한 어린아이와 류인태가 생각하는 어린아이의 기준이 다른 건가 싶어서 고개를 갸우뚱했다.

마션은 류인태의 말이 웃겨서 웃으면서 그들에게 왔다. "네 말이 맞다. 너희 같은 아이들을 위해서 사용하는 거지." 그는 드리머가 안에서 움직이고 있는 인형의 손을 잡고 흔들면서 악수를 했다. "내가 공연을 가거나 모습을 보이지 않게 할 때 많이 사용하는 거란다."

드리머는 인형 속이 더워서 인형을 벗었다.

"후우… 인형 안은 너무 더워요."

"그렇긴 하지. 그나마 덜 더웠을 거란다. 이 고리를 완전히 다 올리면 더 더울 거거든."

"이렇게만 했는데도 더운데, 더 덥다고요? …" 드리머는 더 덥다는 말에 인형을 멍하니 보았다. "이걸 사용하는 것도 정말 힘들겠어요."

"쉬운 일은 아니지. …" 마션이 어떤 동작을 하면서 말했다. "그래도 그것을 입으면 아이들이 좋아하니까. 그거면 됐지." 그가 어떤 손동작을 했더니, 손에서 하얀 종이꽃이 나왔다.

"이거 가져도 되는 건가요?"

눈이 커진 드리머가 신기해하며 물었다.

마션은 고개를 끄덕였고 드리머의 손바닥 위에 하얀 종이꽃을 살포시 올려놓았다.

아인도 마션의 손에서 꽃이 나오는 것이 신기해서 드리머가 가지고 있는 종이꽃을 구경했다.

마션에 대해 어느 정도 알고 있는 류인태는 종이꽃은 정말로 평범한 것이고 그들을 신기하게 한 것은 마션의 손 기술이라고 생각하며 어떤 손 기술을 사용한 건지 궁금했다.

'어떤 손 기술을 사용한 거지?'

마션은 류인태만 종이꽃 근처로 가지 않는 것을 보고 진열대에서 무언가를 찾는 척을 하면서 어떤 것을 보여 줄지 생각했다. '저 친구는 마션에 대해 알고 있으니까, 저건 아주 쉽겠지? 그러면 어떤 것을 보여 주면 되려나?' 신중하게 재료를 고른 그는 아이들을 보고 있는 류인태에게 구름을 날렸다. 슈우웅.

류인태는 앞에서 떠다니는 구름을 보고 놀랐다. "와아! 이게 뭐지?" 그는 구름을 잡으려고 손을 휘저었다.

류인태의 감탄에 아이들이 와서 그가 잡지 못하고 있는 구름을 잡으려고 했지만, 그들은 잡을 수 없었다. 구름은 다시 마션에게 돌아갔고 그는 웃으면서 손에 있는 구름을 없앴다.

아인이 손을 펴고 팔을 밑으로 쭉 뻗으면서 감탄했다.

"와아! 정말 신기해요."

류인태는 처음 본 기술이 궁금해서 그것에 대해 알고 싶었지만, 마션은 그저 웃을 뿐이었다.

드리머는 진열대에 있는 물건들을 구경하느라, 그곳에서 오랫동안 있었다.

마션이 드리머에게 다가가서 물었다.

"그것이 궁금하니?"

어떤 물건을 들고 보는 드리머가 고개를 끄덕였다.

드리머가 들고 있는 색깔 장난감을 가져간 마션이 물었다. "이게 궁금한 거지? …" 그는 그것과 똑같은 것을 가져와서 아이들에게 주었다. "이걸 가져가서 고민을 해 보렴. … 너희들도 이걸 가지고 가서 다 같이 고민해 보렴."

4
복잡한 미로

평화로운 주말 아침이지만, 드리머의 방에서는 그렇지 못했다. 그것은 마션이 준 색깔 장난감 때문이었다.

“이거 다 맞추었어?”

드리머가 책상 위에 올려 둔 류인태의 장난감을 보며 물었다.

류인태는 고개를 저으며 컴퓨터를 했다.

“그래?” 드리머는 마션에 대해 관심 있어 하는 류인태가 마션이 준 장난감을 가만히 두는 것을 이해하지 못했다. ‘왜 저걸 맞추지 않는 거지?’ 그는 정보를 더 얻을 수 없을 것 같다는 생각에 절망했지만, 포기하지 않았다.

드리머의 고민을 풀어 주라는 신호인지, 현관문을 두드리는 아인의 목소리가 들렸다.

“드리머랑 인태, 있나요?”

“어! 아인이 왔나 보다!”

드리머는 평소에 공부를 많이 하고 정보를 많이 알고 있는 아인이 고민을 해결할 수 있을 거라는 믿음을 가지고 계단을 헐레벌떡 내려갔다.

아인은 어머니와 대화를 나누다가 드리머를 보고 손을 흔들었다. 그도 그녀에게 손을 흔들면서 빨리 방으로 가자고 손짓했다.

당황한 그녀는 어머니를 보고 알 수 없다는 웃음을 지었고 어머니는 그들의 모습이 재미있어서 환한 미소를 지었다.

드리머는 아인을 방으로 데리고 오자마자 마션에게 받았던 장난감을 보여 주었다. 그녀도 그가 보여 준 것과 똑같은 것을 주머니에서 꺼냈다.

"어? 나랑 똑같네."

아인은 고개를 끄덕이면서 바닥에 앉았다. 드리머는 머릿속이 복잡한 상태로 그녀와 마주 앉아서 마션이 준 것을 연구했다.

아무리 해도 답을 찾기가 어려워서 아인은 지친 상태로 상체를 살짝 눕혔고 책상 위에 있는 장난감을 보았다. "인태는 안 맞추는 거니?" 허리를 곱게 펴서 앉은 그녀는 류인태의 대답을 기다렸다.

류인태는 고개를 끄덕였지만, 말은 하지 않았다. 아인은 그가 왜 대답을 안 하는지 이해가 가지 않아서 고개를 갸우뚱했지만, 그걸 가지고 따질 생각은 없었다.

드리머는 그것과 비슷하게 생긴 것을 학용품 가게에서 팔고 있다는 것을 떠올렸다. "학용품 가게에서 비슷한 것을 팔고 있지 않을까?" 그가 장난감을 들면서 자리에서 일어났다.

아인은 드리머가 무엇을 할지 예상이 가서 자리에서 일어났지만, 류인태는 여전히 컴퓨터 앞에 앉아 있었다.

"인태는 안 갈 거니?"

"응. 나는 다른 걸 찾아보려고…"

"그래? 그러면 우리끼리 가야겠다."

아인은 류인태의 단호함에 드리머와 바로 학용품 가게로 갔다.

학용품 가게는 항상 같았다.

"우리가 이걸 가지고 왔으니까, 비교해 보면 알 수 있지 않을까?"

"그렇겠지? 그러면 우리가 어떻게 해야 하는지 알 수 있겠지?"

드리머가 들뜬 마음으로 웃으면서 아인과 함께 학용품 가게 안으로 들어갔는데, 소리가 거의 나지 않는 학용품 가게는 그의 들뜬 마음을 사라지게 했다.

드리머와 아인은 그들이 찾는 것이 어디에 있는지 줄을 서서 천천히 걸어가며 살펴보았다.

“드리머, 저기에 있는 거 같지 않니?”

그곳에서 크게 말할 수 없어서 아인이 드리머에게 조용하게 물었고 그녀가 가리킨 곳을 본 그도 그곳의 규칙을 알고 있었기에 조용히 고개만 끄덕였다.

그들이 찾던 것을 가지고 신령수에게 갔다.

신령수는 평소처럼 그들이 밟고 올라올 수 있는 의자를 주었고 그들은 그것을 밟고 그들이 고른 물건을 내밀어서 계산을 하려고 물건을 인식시켰다.

신령수는 드리머가 들고 있는 장난감을 보고 계산해야 하는 것으로 생각해서 그것을 가리켰다.

“그것도 계산하려는 거니?”

아인이 고개를 저었다. “저건 아니에요.” 그녀는 신령수가 가리킨 장난감을 보여 주었다. “이건 이것과 다르고 선물 받은 거예요.”

“이건 마션들이 사용하는 도구 같구나.”

신령수가 그 물건의 용도를 바로 맞춰서 드리머와 아인은 깜짝 놀랐다.

“어! 어떻게 아셨나요?”

“후후. 그건 여기서 팔지 않지만, 내가 모르는 물건은 거의 없지. … 전에 말했던 역발 같은 것만 아니면 말이지.”

신령수는 아인에게 다시 돌려주었다.

아인은 그것을 받고 그들이 구매하려는 것을 계산했고 신령수에게 그 물건에 대해 물었다. “이건 어떻게 해야 다 맞출 수 있는 건가요? … 저희가 그것을 알아내야 하는데, 잘 모르겠어요."

"허허. 너희에게 그것을 알아내라고 했으니, 너희가 알아보는 것이 좋겠지. 다만 그 문제의 해결책은 거기에 있단다."

신령수는 그들을 보내고 다음 손님의 계산을 도와주었다.

집으로 가던 그들은 학용품 가게에서 산 장난감을 보고도 답을 모르겠어서 한적한 곳으로 가서 잠시 쉬는 겸 앉아서 두 개를 비교했다. 학용품 가게에서 산 것은 여러 가지의 색이 다 맞춰져 있는데, 마션이 준 장난감은 딱 하나의 색만 맞지 않았다. 그 장난감은 돌리면서 색을 맞출 수 있는 것이어서 그들이 계속 돌렸지만, 한 개의 색만 더 있어서 완벽하게 맞출 수는 없었다.

"우리가 알아내야 한다는 것이 이곳에 있다고 했으니까, 여기에 뭐가 있는 걸까?"

"뭔가 그런 거 같아. 인태도 그것을 알고 다 맞추지 않았던 거지. 어쩌면 이미 이것의 비밀을 알고 있을 수도 있을 거야."

그들은 류인태가 알고 있을 거라고 생각해서 집으로 돌아갔다.

드리머와 아인이 드리머의 방으로 갔는데, 책상 위에 있던 장난감이 모두 맞춰져 있었다. 그들은 색깔이 맞춰진 쪽으로 보이게 둔 것인지, 완전히 다 맞춘 것인지 보려고 둘러보았다.

"이거 정말 다 맞춰져 있는 거 같은데?"

드리머는 다 맞춰진 장난감을 들어서 색을 칠한 것인지 확인했다.

아인이 덤덤하게 컴퓨터를 하고 있는 류인태에게 물었다.

"이건 어떻게 맞춘 거니?"

류인태는 드리머와 아인이 궁금해하는 표정을 지어서 재미있었다. "그건 비밀." 그는 웃음을 멈추지 않고서 방에서 나갔고 그가 사용했던 컴퓨터는 꺼지고 있었다.

드리머와 아인은 바닥에 앉아서 류인태가 맞춘 것을 보면서 비교하며 연구했다.

"이건 어떻게 하는 걸까?"

"그러게… 정말 궁금하네."

드리머와 아인이 류인태가 맞춘 방법을 알아내려고 했는데, 바깥에서 들어오는 햇볕의 색이 바뀌었다.

아인은 창문으로 바깥을 확인한 후에 목걸이로 시간을 확인했다. "이제 집에 가야 할 거 같아." 그녀는 가져왔던 장난감을 챙겼고 달라진 것은 없는지 확인했다. '달라진 건 없는 거 같네.' 그녀는 그것을 주머니에 넣고서 1층으로 내려갔다.

집에 가려고 현관문 앞에 있는 아인이 커피를 마시고 있는 부모님과 대화를 나누고 있어서 드리머는 천천히 계단을 내려갔다.

1층으로 온 드리머를 본 아인은 손을 흔들면서 밖으로 나갔고 부모님과 그는 그녀를 배웅하려고 마당 입구까지 갔다.

아인은 인사를 마치고 집으로 걸어가면서 부모님과 드리머가 집으로 가는 모습을 보다가 시야에서 사라졌을 때, 주머니에 넣었던 장난감을 꺼냈다. '어떻게 맞추는 거지?'

장난감을 맞추려고 하면서 걷는데, 의자에 앉아 있는 류인태가 보였다. "어? 왜 여기에 있는 거야?" 그녀는 그가 앉아 있던 곳 주위를 보았다.

류인태가 아인이 들고 있는 것을 가지고 가더니, 몇 초도 안 돼서 색깔을 맞추었다.

"와! 이건 어떤 비밀이 있는 거야? … 이렇게 빨리 맞출 수 있는 거였어?"

류인태는 그가 가져간 것을 아인에게 다시 되돌려주었다. "마션은 그것에 대한 비밀을 밝혀서는 안 되거든. 그래서 나도 그렇고 마션도 그것을 최대한 감추려고 하는 거지."

"아아. 그래서 잘 알려 주지 않는 거구나."

"맞아. 그래도 네게 실마리를 주자면, 구름 속에는 다양한 것이 있어. 그것이 어떤 건지는 알려 줄 수 없지." 류인태가 아인의 집 방향을 가리키며 말했다. "그것에 대한 비밀을 알게 되더라도 드리머가 알아내지 못했다면 알려 주지 않는 것이 좋아. … 집으로 가는 거지?"

류인태의 말에 귀를 기울이던 아인이 고개를 끄덕였고 그와 함께 대화를 나누며 집으로 향했다.

아인은 그녀의 집에 도착할 때까지 류인태에게 마션이 준 장난감에 대해 이야기를 하면 조금 그럴 것 같아서 평범한 대화를 나누었다.

"잘 가. 나도 이제 가야 할 것 같아."

아인의 마당 입구 앞에 도착해서 류인태는 그녀에게 인사를 하고서 집으로 갔다.

아인은 류인태의 뒷모습을 보다가 집으로 들어갔고 가족들과 함께 밥을 먹었다. 그녀의 부모님은 그녀가 식탁 위에 올려 둔 장난감을 보고 웃었다.

"그건 어디서 난 거니? 친구들이 준 거니?"

밥을 먹는 아인이 고개를 저었다. "이건 이번 꿈의 주인이 준 거예요. 마션이라고 했어요." 그녀는 밥을 먹으면서 마션이 준 것을 손바닥 위에 올렸다. "그러고 보니… 이게 뭔지 듣지도 못했네요."

"그건 구름 상자라고 불릴 거란다. 구름 모양이고 구름처럼 부드러워서 그렇게 불리게 되었지."

순간 아인은 부모님의 말에 류인태의 말이 떠올랐다. '그럼 이 안에 뭐가 있다는 건가?' 그녀가 구름 상자 안쪽을 보려고 했는데, 한 곳이 약간 들려서 그녀는 그것이 맞는 것 같다고 생각했다.

마션에게 가기 전 엘그프 3단계 방에 있던 드리머는 마션이 주었던 구름 상자를 아직도 풀지 못해서 그것을 든 상태로 똑같은 행동만 반복했다.

반면에 완벽한 구름 상자를 가지고 온 아인은 그것을 드리머에게 보여 주었다. 다 맞춰진 것을 본 그는 놀라서 그녀에게 물었다.

"이건 어떻게 한 거야? 내가 모르는 뭔가가 있는 건가?"

아인은 콧소리를 내며 웃었다. "거기에 네가 모르는 게 있을 거야." 그녀는 류인태가 그곳으로 와서 더 이상 말을 하지 않았다.

'내가 모르는 뭔가가 있다고? … 그게 뭐지?'

드리머는 류인태와 아인이 한 말을 계속 생각했더니 머리가 복잡해지는 것 같아서 구름 상자를 내려놓았다.

마션의 꿈의 세계로 들어갔는데, 그는 의자에 앉아서 사라를 손에 쥐고 있었다. 아인과 류인태는 구름 상자를 그에게 내밀었지만, 드리머와 복태현은 내밀지 못했다.

드리머는 그들이 마션에게 주는 동안 조용히 뒤에서 구름 상자를 돌렸다.

마션은 아인과 류인태에게 받은 구름 상자를 진열대에 두었고 드리머를 보며 다가갔다. "너무 겉에만 의식하면 답을 찾을 수 없지. … 진실에 가려진 것을 찾으려면 우선 진실을 뒤집을 수도 있어야 해." 그는 문제의 부분을 당겼고 구름 상자는 완전한 상태로 드리머에게 되돌아갔다.

드리머는 마션이 한 것처럼 다시 해 보았고 그가 무슨 말을 하고 싶었던 것인지 알게 되었다. '이래서 그런 말을 한 건가? 구름 속에 있는 바로 이 색을 말하는 거였어. 이 구름 상자라는 진실에 그 속에 있던 색을 생각하지 못했던 거지.'

마션은 드리머가 구름 상자의 색을 반복적으로 바꾸고 있어서 그것을 가지고 진열대로 갔다. 그가 가고 나서 조금 더 있다가 드리머가 아이들이 있는 곳으로 갔다.

마션은 더 이상 알려 줄 것이 없는 것인지, 연습하던 것을 연습하기 시작했다. 그의 앞에 거울이 있어서 그의 모습과 행동, 속임수가 보이는지 확인할 수 있었다.

드리머와 아인, 복태현은 그것을 지켜보아야 했고 류인태는 진열대에 있는 물품들을 보면서 어떻게 사용하는 것인지 생각하며 연구했다.

"그런 거 함부로 건들면 안 돼."

빛의 형태인 코치가 진열대에 있던 종이를 들어서 드리머가 조용히 말하며 손짓했다.

코치는 드리머에게만 보여서 그녀가 무엇을 들더라도 이상하지 않았지만, 그것을 보는 아인과 류인태, 복태현, 마션에게는 공중에 떠 있는 종이처럼 보였다.

류인태는 공중에 떠다니는 종이를 잡았다. "이것도 마션이 한 건가요?" 그가 잡은 종이를 마션에게 보여 주며 물었다.

마션은 연습을 멈추지 않고 고개를 저었다가 열심히 움직이던 손을 멈추었다.

드리머는 마션과 류인태의 대화를 듣다가 이상한 점을 생각해 보았다. '뭐가 이상하다는 거지?' 그는 코치를 보았다가 다른 도우미들의 상태를 보았다. '아! 코치가 빛의 상태여서 그런 거였구나?' 그가 재미있는 생각이 나서 그것을 해 보려고 코치를 부르려고 했는데, 그곳에 사람들이 있는 만큼 조심스럽게 행동해야 했다.

코치는 들고 가던 종이를 류인태가 가져가서 다시 드리머에게 갔다. 그는 다가오는 그녀를 보며 미소를 지었다.

드리머가 머릿속으로 들어온 코치에게 말했다.

"아마도 네 모습이 보이지 않아서 물건이 공중에 떴다고 생각한 것 같아."

코치는 드리머가 아무 말도 하지 않고 불러서 그의 의도를 알지 못했다.

"그래서 말인데… 그것을 이용해서 우리가 놀라게 할 수 있지 않을까?"

"으음!" 드리머의 계획을 들은 코치는 흥미로워했고 재미있을 것 같다고 생각했다.

드리머와 코치는 마션이 말한 것을 토대로 계획을 세웠다.

머릿속에서 나온 코치는 본격적으로 계획했던 것을 실행하려고 진열대로 가서 그곳에 있던 동물 모양 종이를 들었다. 드리머는 모두가 다 볼 수 있도록 돌아서 짝 편 손바닥 위에 종이를 올렸다. 아인은 그가 무엇을 하려는지 궁금해서 고개를 갸우뚱했다.

드리머는 종이를 들고 있지 않은 손으로 종이를 잡아서 들었고 코치는 종이가 떨어지지 않도록 밑으로 가서 받쳤다. 그녀가 밑으로 간 것을 확인한 그는 종이를 서서히 놓았다.

마션은 뭔가를 눈치채서 드리머의 행동이 귀여웠다. 아인과 류인태, 복태현은 종이가 공중에 떠다니는 것을 보고 신기해했다.

"와아! 드리머! 어떻게 한 거니?"

"줄 같은 건, 보이지 않는데?"

"그러면 정말 대단한 거 아니야?"

마션의 옆에 있던 류인태가 종이 주위에 실이나 줄이 있는지 손으로 확인했지만, 코치가 빛의 형태여서 아무것도 느껴지지 않았다. '뭐지? 어떻게 한 거야?' 그는 드리머가 어떤 것을 이용해서 한 건지 궁금해서 떠다니는 종이를 잡았다. 그가 종이를 잡아서 코치는 가는 것을 멈추고 드리머에게 돌아갔다.

류인태가 종이를 확인하고 있어서 아인과 복태현도 그 종이를 확인하러 갔다.

마션은 종이를 확인하지 않고 드리머의 옆으로 갔다. "내가 한 말을 이해한 건지는 모르겠지만, 정말 잘했구나." 그는 드리머의 머리를 쓰다듬었다. "만약 네 친구들이 이 비밀을 알아낸다면 이것을 통해서 같이 공연을 해도 될 것 같은데, 괜찮겠니?"

드리머는 웃으면서 고개를 끄덕였다. '마션은 내가 어떻게 한 건지 알고 있는 건가?' 그가 미소를 짓고 있지만, 마션이 눈치를 챈 건지 의심이 갔다.

마션이 종이를 보는 아이들에게 똑같은 것을 나눠 주었는데, 종이를 받은 그들은 그렇게 좋아하지는 않았다.

드리머는 그들의 기분을 알 거 같아서 공감이 갔다. '보는 것은 재미있지만, 그것을 알아내려고 하면 어렵지.' 그는 그들이 얼마나 빨리 그것의 비밀을 알아낼 수 있을지 궁금했다.

마션은 하던 연습을 하지 않고 책상에 앉아서 종이와 적을 도구를 들었고 이곳저곳을 보면서 그림을 그리기 시작했다.

드리머는 마션의 옆에 앉아서 무엇을 그리는지 보았다. '이건 뭘 그리는 거지?' 그가 그림을 보았는데, 그림에는 진열대에 있던 물건들도 있었고 못 보던 것들도 있었다. '이건 내가 못 본 것 같은데? 다른 게 있었나?' 그는 앉은 상태에서 그림에 있는 도구를 찾으려고 했다.

"후우··· 나는 아무래도 모르겠어."

뭔가를 알아내는 것에 지친 듯한 아인이 한숨을 내쉬었다.

드리머가 한 것에 크게 관심이 없었던 복태현은 이미 다른 것을 보고 있었다.

"뭘 보고 있는 거니?"

"탐험할 때 괜찮은 도구도 있을까 싶어서 둘러보고 있었어."

"그래? 그런 게 있다면 괜찮을 거 같다!"

아인과 복태현이 다른 이야기를 하는 동안에도 류인태는 드리머의 손짓과 시선을 생각했다. '드리머가 밑을 보았었는데, 밑에는 아무것도 없었어. 분명 뭔가를 사용한 것은 맞는데, 도대체 뭘까?' 그가 마션에게 빠져 있느라 안 보였던 애요가 보였다. '어쩌면···' 그는 확신할 수는 없었지만, 그녀에게 부탁했다.

애요가 코치처럼 종이 밑으로 갔을 때 류인태가 종이를 놓고 거울을 통해서 어떤지 확인했지만, 그의 눈에는 그녀가 보였기에 확신이 들지 않아서 드리머를 불렀다. “드리머!”

종이가 공중에 떠다니는 것을 본 드리머는 대단하다는 표정으로 박수를 쳤다. “정말 대단한걸! 이걸 벌써 알았어?” 그가 종이를 잡아서 다른 것을 사용했는지 확인했고 없다는 것에 류인태가 정확하게 파악했다는 것을 알게 되었다.

아인은 류인태가 빠른 시간 내에 비밀을 알아내서 부러웠다.

“부럽다. 어떻게 하는 거야? 나는 정말 생각이 나지 않아.”

“마션이 하는 것은 사람이 할 수 있는 것들이야. 뭔가를 이용하거나 기술을 사용하는 거지.”

“우리가 사용할 수 있는 거라고? ……”

아인은 정신이 나갈 것 같았다.

의자에 앉아 있던 마션이 그들을 불렀다. “얘들아 이리로 와 볼래?” 아이들이 모여서 그는 그렸던 것을 보면서 그들에게 설명했다. “우리가 앞으로 할 것은 공연을 하는 거야. 내가 하는 것과 너희들이 만든 것을 같이해 보려고.”

아인은 깜짝 놀랐다. “우리와 공연을 한다고요?” 그녀는 난처해 했다. “나는 아직 아는 게 없어요.”

“그런 거라면 신경 쓰지 않아도 된단다. 이건 하다 보면 깨닫는 거니까.”

“그래도…”

“나는 좋아요! 어떤 주제로 하면 될까요?”

마션의 제안에 눈이 반짝이는 류인태가 물었다.

“주제는 딱히 없고 자유롭게 만들면 된단다. … 정말 모르겠다면, 나에게 오렴. 내가 도와줄 수 있는 것은 도와줄 것이니. 단! 너희에게 모든 것을 알려 주진 않을 거야.”

마션의 표정은 온화해 보였지만, 그의 눈을 보면 신이 난 것을 알 수 있었다.

드리머는 한 번 그들을 놀라게 한 것이 있었기에 도우미를 치료

했었을 때와 탐험을 했었을 때와는 다르게 자신감이 생겼다. '이번에는 제대로 해 볼 수 있겠어. 할 수 있겠지? 크크.'

손가락으로 입술을 문지르며 주제를 정하는 아인은 엔타와 관련된 주제를 하고 싶어서 의료기를 이용한 공연을 하고 싶었다.

'음… 우선 의료기는 어느 정도 알고 있으니까, 마션에 대한 것을 찾아봐야겠다.'

류인태는 마션에 대한 주제로 정했고 복태현은 탐험에 관련된 주제를 생각했다.

드리머는 아직 주제를 정하지 못했기에 어떤 주제를 해야 하는지 고민이 되면서 점점 자신감을 잃었다. '코치와 함께한 것은 될 것 같아서 해 본 건데, 주제를 정해야 한다니…' 갑자기 떠오른 생각을 하는 것은 그에게 쉬웠지만, 갑자기 무언가를 정해야 하는 것은 어려웠다.

집으로 돌아가는 길, 아인과 복태현과 헤어지고 집으로 가는데, 드리머는 주위를 둘러보며 주제로 괜찮은 것이 있는지 확인했다. 음식점, 서점, 물건을 파는 곳 등 여러 곳이 보였다. 그중에서 눈에 가는 것이 서점이었다.

'서점? 서점도 괜찮을 거 같은데?' 드리머는 그나마 가장 가깝게 느껴지는 책으로 해도 괜찮을 거 같다고 생각했다. '책으로 할 수 있는 것이 있겠지?' 주제를 정한 그는 뿌듯한 마음으로 걸었다.

띠… 드리머는 방에 도착하자마자 마션에 대한 정보를 더 얻으려고 컴퓨터를 켰다. '마션은 어떻게 공연을 하는 걸까?' 그는 공연에 대한 영감을 얻으려고 마션들이 공연하는 영상을 보았다. '정말 어렵다. 뭐가 뭔지 잘 모르겠어. 어디서 나오는 거고 어떻게 하는 거지?'

"마션이 공연하는 영상을 보는 거야?"

류인태가 컴퓨터를 보면서 물었다.

“응. 내가 아직 주제를 정하지 못해서 보고 있었어. 어떤 물건을 사용하는지 궁금하기도 해서…”

“아마 마션이 사용하는 물건들은 봐도 모를 거야. 나도 처음 봤을 때는 잘 몰랐거든.”

“마션이 공연하는 것을 많이 봤어?”

“응. 나는 마션을 할까 고민을 하고 있었거든. … 지금은 정한 것 같지만?”

류인태는 웃으면서 책을 한 권 보았다.

드리머가 책의 표지를 보았는데, ‘신비로운 물건’이라는 제목으로 마션에 관한 내용처럼 보였다. ‘마션에 관한 내용인가?’ 볼을 긁적이면서 어떤 내용일지 궁금해하는 그가 조심스럽게 류인태에게 물었다. “그 책은 어떤 내용이니?”

류인태는 책 안쪽을 드리머가 볼 수 있도록 돌렸다.

“이 책은 마션이 사용하는 도구에 대해 설명한 책이야.”

“아아… 혹시 나도 그 책을 봐도 될까?”

드리머가 책을 보고 싶어 하는 것은 도구를 잘 몰랐기에 어떻게 활용을 해야 하는지 조차 알 수 없어서 책이 해결해 줄 것 같다고 생각했다.

류인태는 보던 책을 덮고서 드리머에게 주었다.

“그러면 내가 컴퓨터를 해도 될까?”

드리머의 방에는 컴퓨터가 한 대뿐이어서 서로가 배려하며 해야 했다.

드리머는 멈춘 영상을 보면서 뭐가 나은지 고민했다. ‘지금 컴퓨터를 보더라도 어떠한 구상도 떠오르지 않으니까, 책을 보는 게 먼저인 거 같아.’ 고민을 마친 그는 고개를 끄덕였다.

드리머는 류인태가 컴퓨터를 할 수 있도록 자리에서 나와 주었고 책을 가지고 침대 위로 올라갔다. ‘이걸 보면 뭔가 떠오르지 않을까? 어떤 것들이 있을까?’ 그는 궁금한 것을 알아낼 수 있을 것 같아서 설레는 마음으로 책을 펼쳤다.

책에는 정말 다양한 도구들이 적혀 있었고 어떻게 사용하는지 간략하게 적혀 있었다.

‘이런 것들도 적혀 있네.’ 어떤 책인지 간단하게 보며 파악한 드리머는 활용할 만한 것이 있는지 하나씩 꼼꼼하게 읽었다. ‘내가 필요한 것들은 아직 나오지 않았네.’ 그에게 필요한 도구는 나오지 않았지만, 신기한 것들이 많아서 책에 빠져들었다.

컴퓨터를 다한 류인태는 컴퓨터를 끄고 자리를 정리한 뒤에 드리머를 보았다. ‘아직도 책을 읽고 있네?’ 그는 마션이 내 준 것에 대한 구상을 끝내서 그것에 필요한 재료를 구매하려고 밖으로 나갔다.

‘이건 내가 사용해도 될 거 같은데?’ 드리머는 자석을 이용한 도구가 흥미로웠다. ‘자석을 이용하면 많은 것들을 손을 대지 않고 할 수 있을 거야. 어쩌면… 마션도 그런 게 아닐까?’ 그는 공연에 사용할 도구를 발견해서 기뻤다. ‘이걸로 해 보자!’ 도구를 정한 그도 재료를 구매하려고 밖으로 나갔다.

‘우선 자석을 구매해야 되겠는데? … 학용품 가게에 있었나?’ 드리머는 다른 재료가 더 필요할 수 있을 것 같아서 필요한 재료들이 있는지 보면서 갔다. ‘더 필요한 것이 있을까?’

드리머가 중간 지점을 지날 때, 반대편에서 류인태가 구매한 재료를 들고 정신이 나갈 것 같은 그를 부르면서 다가왔다. “드리머!”

“어? 어!” 드리머는 류인태가 들고 있는 것을 보았다. “인태, 벌써 다 구한 거야?”

류인태는 활짝 웃으며 구매한 것을 들어서 보여 주었다.

“응! 나는 이거면 될 거 같다고 생각해.”

“종이들이네? 마션은 종이를 많이 사용하나 보네?”

“마션마다 다 다른 재료를 사용하고 주로 사용하는 재료가 정해져 있어. 나는 종이가 나은 것 같아서!” 신나게 말을 하는 류인태가 드리머의 손을 보았다. “드리머, 어떤 걸로 하려고?”

마션에 대해 잘 모르는 드리머가 마션에 대해 잘 아는 류인태에게 말하는 것이 쑥스러워서 머리를 긁적이며 말했다.

“나는 자석을 이용하려고 해.”

“자석? 오호… 괜찮아 보이는데? 자석으로도 할 수 있는 건 많으니까! 이따가 집에서 보자!”

집으로 가는 류인태의 팔과 다리는 놀이기구처럼 크게 흔들렸다.

‘부럽다. 나도 잘해 보고 싶다.’ 결과가 괜찮을지 생각하는 드리머의 마음이 떨려서 두근거리기 시작했다. ‘자석을 구하면 뭐라도 되겠지?’

학용품 가게에 있는 자석을 골랐지만, 뭔가 부족한 것 같다고 생각을 하면서 더 둘러보았다.

드리머가 기웃거리고 있어서 신령수가 그를 불렀다. “얘야.”

드리머는 물건을 보느라 자신을 부르는지 몰랐기에 계속 기웃거렸다.

“자석을 들고 있는 아이야.” 신령수가 드리머를 빤히 보며 말했다. “뭔가를 찾고 있는 거 같구나.”

자석을 꽉 쥔 드리머는 말은 하지 않고 고개를 끄덕였다.

신령수는 드리머가 있는 쪽의 작은 문을 열어서 의자를 꺼내 주었고 올라오라고 손짓했다.

드리머는 신령수가 오라고 해서 의자 위로 올라갔다. “혹시 내가 잘못했나요?” 그는 잘못을 해서 부른 것 같다고 생각해서 긴장했다.

조용히 웃고 있는 신령수의 코에서 콧바람이 작게 들렸다.

“그게 아니라, 네가 뭔가를 찾고 있는 것 같아서 불렀단다. 뭐가 필요한 거니?"

"아." 드리머는 잘못한 게 아니라는 것에 안심했다. "더 필요한 것이 있을까 해서 보고 있었어요."

"자석에 필요한 것을 찾는 것 같은데, 음…" 신령수는 자석에 필요한 물건을 고르다가 드리머가 자석을 어디에 사용하는지 묻지 않았다는 것이 떠올랐다. "그 자석은 어디에 사용하려는 거니?"

"공연에 사용할 거예요! 생각한 것은 있는데, 뭔가 더 필요할 거 같아서요."

"마션이라…" 신령수는 턱을 쓸며 천장을 쳐다보았다. "그렇다면 그것보다 더 강력한 자석이 필요할 거 같구나. 지금은 없으니까, 따로 주문을 해야 하는데, 필요할 것 같니?"

드리머는 예상치 못한 지출에 생각을 해야 했다. '더 강력한 자석이 필요할까?' 그는 들고 있는 자석 두 개를 가까이 대면서 자력이 언제 약해지는지 확인했다. 자석의 자력은 생각보다 강했지만, 원하는 만큼은 아니었다. "얼마나 오래 걸리나요?"

신령수는 빨리 올 거라고 걱정 말라며 자석을 계산해 주었다.

집으로 가는 드리머는 새로 주문한 자석이 기다려졌다. '그게 오면 더 좋은 것을 만들 수 있겠지?' 그는 괜찮은 것을 만들 수 있을 것 같다는 생각에 발걸음이 가벼워졌다.

드리머가 집에 갔을 때는 류인태가 뭔가를 만들고 있었다.

드리머도 만들려고 자석을 가지고 침대 위로 갔다. '이 두 개를 공연에 사용하려면 멀어졌다가 붙는 것으로 해야겠는데?' 그는 종이를 가지고 괜찮은 것을 만들어 보려고 만모라 책을 가지고 왔다. 그는 자석을 잠깐 옆에다가 두고 만모라 책 중에서 만들려는 부분을 펼쳤다. '이건 조금 어렵기는 한데, 이게 자석과 가장 잘 어울리는 것 같아.' 그는 만모라 책을 보면서 열심히 종이를 접었다.

류인태는 잠깐 기지개를 펴며 집중한 머리를 쉬어 주었다. '후우. 드리머는 뭘 만드는 걸까?' 그는 드리머가 무엇을 만드는지 궁금했지만, 서로 안 보는 것이 맞는 것 같아서 그것을 지켰다.

종이 자물쇠를 만든 드리머가 고개를 들고 돌리면서 간단하게 목을 풀었다. '지금 몇 시지?' 그는 몇 시인지 목걸이로 확인했다. '벌써 저녁 시간이네?' 종이로 자물쇠를 접는 것이 어려워서 시간이 정말 많이 지났는데도 집중하느라 시간이 가는 줄 몰랐다.

류인태가 방 불을 끄려다가 드리머에게 물었다.

"혹시 다 만들었니? … 다 만들었으면 밥 먹으러 가자."

드리머는 자물쇠에 맞는 열쇠가 남았지만, 밥을 먹어야 해서 잠깐 쉬는 겸 침대 위에 두고 류인태와 부엌으로 내려갔다.

부모님이 저녁을 만들 준비를 하고 있어서 드리머와 류인태는 저녁을 도와주려고 손을 씻었다.

"우리가 도와줄 것이 있나요?"

"그러면 이 재료들을 씻어 주겠니?"

드리머와 류인태는 재료들을 씻고 요리를 할 수 있는 상태로 만들었다. 부모님은 그들과 함께 저녁을 만드는 시간이 즐거워서 기분이 좋았다.

드리머는 밥을 먹으면서도 자석이 머릿속에서 지워지지 않아서 자석에 어울리는 주제에 대해 물어보았다.

"혹시 두 개가 어울려야 하는 물건이 있을까요?"

"두 개가 어울려야 하는 물건?"

어머니는 드리머의 질문이 애매해서 그가 원하는 대답이 무엇일지 웃으며 생각해 보았다.

아버지는 뭔가가 떠올라서 바로 대답했다.

"나는 숟가락과 젓가락이 아닐까 싶구나. 우리가 지금도 가지고 있는 것들이잖니?"

"오! 이것들도 있었네요?"

드리머는 사용하던 숟가락과 젓가락을 각각 들며 감탄했다.

"그렇다면 나는 베개와 이불이 떠오르는구나."

고민을 하던 어머니가 아버지의 말을 듣고 떠오른 것을 말했다.

드리머는 베개와 이불도 기억하면서 괜찮은 주제로 공연을 할 수 있을 것 같다는 생각에 기뻤다. '그러면 주제를 일상으로 하면 될 것 같다! 일상생활에서 필요한 것들이 내 앞으로 오는 것으로 하면 되겠지?' 주제를 결정한 그의 두근거림이 더해졌다.

좋은 정보를 얻은 드리머는 일상생활을 생각하면서 어떻게 할지 구상했다. '식탁에 숟가락과 젓가락이 있어야 하고 베개와 이불을 사용하려면 침대나 바닥이 있어야 돼. … 그런데 베개와 이불은 어떻게 해야 하지?' 그는 아무리 좋은 생각이 났더라도 구상하는 것이 쉽지 않다는 것을 깨달았다.

자기 전에 씻고 온 류인태가 기분 좋게 방으로 들어와서 이불 위에 앉았다.

드리머는 류인태가 앉아 있는 이불을 보고 베개를 보았는데, 그 두 개는 떨어지지 않고 항상 붙어 있었다. '항상 붙어 있는 베개와 이불을 떨어뜨린 뒤에 다시 붙게 하는 방법에 대해 생각해 봐야겠다.' 그는 구상이 바로 떠오르지 않아서 우선 잠을 자기로 했다.

"많이 생각해 봤니?"

마션이 아이들에게 물었다.

아이들의 반응은 전과 다르게 뭔가 걸리는 듯해 보였다. 마션은 그들이 어떤 상황인지 말을 하지 않더라도 추측할 수 있어서 긴장을 풀어 주려고 또 다시 종이로 만든 동물들을 손바닥 위에 한 마리씩 올리더니, 하나의 작은 동물원을 만들었다.

아이들은 마션의 손에서 동물이 나오는 신기함보다 구상을 잘해서 물이 흘러가듯이 진행하는 과정이 신기했다.

"어떻게 하면 그렇게 할 수 있나요?"

공연을 구상하던 드리머가 물었다.

마션은 종이로 만든 동물들을 아이들에게 나눠 준 뒤에 그들의 손에 있는 동물에 맞는 인형으로 바꾸었다.

“마션에게 있어서 과정은 중요하지. 결과만 “짠” 하고 보여 주어도 신기하겠지만, 과정을 통해서 보는 사람들에게 더 깊은 감정을 전해 줄 수 있지.”

“더 깊은 감정이요?”

“그렇지. 지금도 내가 너희에게 동물 인형만 주었다면 어땠을까? … 사람마다 다르겠지만, 내가 본 사람들의 공통된 반응은 신기하다. 이것뿐이었어. 그런데 내가 종이 동물을 준 뒤에 인형으로 바꾸었을 땐 어떤 반응이었니?”

“예상하지 못해서 더 신기한 것 같아요!”

동물 인형을 손바닥 위에 놓고 들뜬 아인이 외쳤다.

마션은 흐뭇한 미소로 고개를 끄덕인 뒤에 연습을 하기 시작했다. 그가 연습하는 모습을 드리머가 보았는데, 굳이 연습을 안 해도 될 것 같다는 생각이 들었다.

‘마션은 왜 저렇게 연습만 하는 거지?’

류인태도 마션처럼 크고 멋있는 것이 아니더라도 연습을 쉬지 않으려고 애썼다.

드리머는 마션에게 들리지 않도록 작은 목소리로 류인태에게 물었다. “그런데 마션도 그렇고… 왜 그렇게 연습을 하는 거야?”

드리머가 작게 말한다고 했지만, 마션에게 다 들려서 그가 직접 그것에 대한 대답을 해 주었다. “드리머. 마션에게 가장 중요한 것이 뭔지 아니?” 그는 드리머의 모습을 보며 대답을 기다리는 동안에도 연습을 멈추지 않았다.

“음…” 드리머는 전에 보았던 영상과 마션이 하는 모습을 떠올리면서 중요한 것이 무엇인지 생각했다. “음… 과정?” 그는 정확한 답을 몰라서 마션이 말했던 것으로 대답했다.

"하하! 과정도 중요하지. 그렇지만 더 중요한 게 있지."

마션은 드리머를 보던 시선을 거울로 옮겼고 손바닥을 마주하더니 가운데에서 구름이 나오게 했다.

드리머는 처음 보는 상황에 머리가 멍해졌다.

'어떻게 손바닥에서 구름이 나오는 거지?'

거울로 드리머의 멍한 모습을 확인한 마션이 말했다.

"네 그런 표정을 유도하는 것이지. 방금 내가 한 것을 어떻게 하는지 궁금해하는 그 표정을…"

류인태는 마션이 방금한 것에 대한 비밀은 모르지만, 확실한 것은 뭔가를 이용할 수밖에 없다는 것이어서 어떤 도구를 이용했는지 알아내려고 그의 손 주위와 손바닥을 유심히 보았다.

마션은 류인태가 도구를 볼 수 없을 거라는 확신을 가지고 있었기에 그가 빤히 보는 것을 막지 않았고 다시 드리머를 보았는데, 똑같은 상태로 그를 보고 있었다.

"그러니까, 내가 어떤 것으로 한 건지 보여 주지 않기 위함이란다. 만약에 내가 연습을 덜해서 공연을 하다가 내가 사용한 기술이나 비밀을 알려 준다면, 실패한 것과 다름이 없을 것 같구나."

드리머는 생각보다 어려운 말을 이해하려고 했다.

"한마디로 마션은 실수를 하면 안 된다는 거군요."

"맞아. 아마 네 친구도 그걸 알고 있어서 내 옆에서 연습을 하고 있는 거겠지?"

드리머는 연습을 하느라 거울로 자신을 보며 웃고 있는 류인태의 모습을 발견해서 같이 미소를 지었다.

아인과 복태현은 그들이 대화를 하는 동안에도 공연에 사용할 재료를 만들고 있었다. 그들이 얼마나 집중을 하는지, 말소리가 들리지 않았다.

복태현은 탐험에 관련된 나무나 식물, 도구들을 만들었다.

"이건 공연에 사용할 재료들이니?"

대화를 마친 드리머가 아인과 복태현에게 가서 물었다.

"응! 우리가 처음 갔었던 곳과 비슷하게 만들려고 하고 있어."

"그런 거 같기는 한데, 똑같이 따라 해도 되는 걸까?"

"내가 경험한 것으로 하고 배경은 비슷해도 괜찮지 않을까? 그러면 따라 한 것이 아닌, 내가 직접 경험한 것이고 만든 것들이니까…"

"그러면 괜찮을 거 같아."

드리머는 주제와 구상을 마친 듯한 복태현을 부러운 눈빛으로 바라보았다. '나도 구상을 빨리 해야 하는데… 만드는 것도 중요하지만 우선 무엇을 만들지 생각하는 게 중요한 것 같아.' 그는 종이와 필기도구를 가져와서 그곳에 있는 사람들의 행동들을 적으며 일상생활을 분석했다. '마션과 친구들의 일상을 담기만 해도 네 명의 일상이니까, 많을 거 같은데? 좋아! 그러면 이렇게 적으면서 떠올려 보자!' 그는 그들의 행동과 모습에서 어떤 내용이 나올지 기대하면서 적기 시작했다. 우선 마션의 행동을 보았다.

마션은 아이들에게 다가가서 알려 주거나 연습을 하거나 쉬는 것을 반복했다.

'마션은 정말 마션에 대해 열심히 하네. 마션이라는 직업에 정말 잘 어울린다.'

다음은 류인태였다. 그는 마션의 옆쪽에서 같이 연습을 하면서 이것저것 시도를 했고 아인과 복태현과 대화를 나누었다.

'인태도 마션과 다를 게 없네. … 인태는 집에서도 확인해 봐야겠다.'

드리머는 류인태가 집에서의 생활과 그곳에서의 생활이 달라서 집에서의 생활을 따로 기록하기로 했다.

'이번에는 아인이를 볼까?' 아인은 그곳에서도 책을 읽었고 연습을 하는 마션과 류인태를 구경하면서 재료를 만드는 복태현을 도와주기도 했다. '아인은 평소와 같은 그런 게 있는 거 같아. 예를 들면… 도와주는 거?' 드리머는 다른 상황에서도 그녀의 모습이 담겨 있다는 것을 알게 되었고 마션과 류인태, 복태현에게도 그런 모습이 있을 것 같다고 생각했다.

재료를 만들기만 하는 복태현은 다른 것은 하지 않고 그 자리에서 그대로 있었다.

드리머는 적은 것들을 보았다. '다들 다른 활동을 하면서 다른 표정과 행동을 하고 있어.' 그는 그들의 행동을 모두 나타내는 것이 어려울 것 같다는 느낌이 들었다. '이것들을 한 번에 담을 수 있을까? … 후…'

드리머가 구상을 하려고 적은 것은 좋았으나, 정보가 많아질수록 헷갈리고 어려웠다. 코치는 그가 아무 말도 하지 않더라도 옆을 지키고 있다가 그가 고민을 하고 있을 때, 고민을 같이 해결해 보려고 머릿속으로 들어갔다.

"오! 코치?" 드리머는 코치에게 아무 말도 하지 않았는데, 머릿속으로 들어와서 놀라면서 궁금했다. "무슨 일 있니?"

코치가 고개를 좌우로 흔들면서 말했다. "내가 아니라 네게 무슨 일이 있는 거 같아서 왔지." 그녀는 편하게 말하라고 자신만만한 태도를 보였다.

드리머는 입술을 문지르다가 코치를 보았다.

"맞아. 내가 마션과 공연을 같이해야 하는데, 구상이 떠오르지 않아. 내가 생각한 것은 자석을 이용한 일상생활인데, 자석을 이용하는 것도 한계가 있는 것 같아서…"

"그러면 내가 도와줄까?"

코치가 드리머에게 물었다.

드리머는 코치가 종이를 들고 갔을 때, 안 보이는 것을 활용한다면 더 좋은 구상이 떠오를 것 같았다.

"코치! 네가 도와준다면 더 신기한 공연이 될 수 있을 것 같아!"

"그래? 그러면 다행이다!"

코치는 만족스러워하는 드리머의 모습에 기뻤다.

5
신기한 종이 놀이

“요즘 잔하랑 다린, 파란이 안 보이는 거 같아.”
드리머가 엘그프 방을 둘러보며 말했다.
류인태도 그들의 자리를 보았다.
“그러게 애들이 원래 없었나?”
드리머와 아인은 고개를 저었다.
류인태는 뭔가 꺼림칙한 느낌이 들었다.
‘무슨 일이 있는 건 아니겠지?’
“우선 집에 가자!”
집으로 가다가 종이 놀이를 파는 것이 보였다.
“음…” 류인태는 종이 놀이를 보고 드리머가 했던 말이 금잔하와 민다린, 새파란과 관련이 있을 것 같다는 생각이 들었다. ‘혹시 드리머가 종이 놀이를 만들어 준다고 했던 것을 지키지 않아서 그런 걸까?’
류인태가 뭔가를 생각한다는 것을 간접적으로 표현해서 드리머가 물었다.
“왜? 무슨 생각을 하는 거니?”
“전에 종이 놀이를 만들어 준다고 하지 않았니?”
“응. 그랬었어. … 아! 내가 종이 놀이를 만들어 주지 않았구나.”

드리머는 그가 한 말에 대해서 지키지 못했다는 것에 미안함이 몰려왔다. "어쩌지… 만약 그것 때문에 우리를 피한 거라면?"
류인태가 미소를 지었다.
"그것 때문에 그러지는 않을 거야. 단순히 우리와 시간이 맞지 않았을 거야."
"그렇겠지?"
"드리머, 너무 걱정하지 마! 친구들을 잘 알잖아?"
아인도 드리머가 힘을 낼 수 있도록 격려했다.
드리머는 아인과 류인태가 그렇게 말해 주어서 기분이 조금은 나아졌지만, 걱정은 사라지지 않았다.
아인과 복태현이 가고도 드리머는 걱정이 되어서 류인태에게 물었다.
"인태, 우리가 종이 놀이를 만들어 주면 어떨까?"
"음…" 류인태는 드리머가 걱정하고 있다는 것을 알고 신중해졌다. "우리가 만들어서 그냥 주는 것보다는 솔직하게 말하고서 같이 만드는 건 어떨까? … 우리가 이번에 마션의 꿈의 세계로 갔으니까, 마션과 관련된 종이 놀이를 만들어도 될 거 같아."
"마션과 관련된 종이 놀이? 오호." 드리머는 류인태의 제안이 흥미로웠다. "그거 괜찮은 방법인데? 그렇게 해도 되겠다."
드리머는 집에 가서 아이들에게 어떻게 말을 할지 고민했다. '친구들한테 솔직하게 잊고 있었다고 말해야 하는데, 그 말을 바로 꺼내는 게 나을까? 아니면 돌려서 말을 꺼내야 할까?' 그는 목걸이로 할 말을 적었다가 지우는 것을 반복했다.
"드리머, 그렇게까지 할 필요는 없을 것 같아. 우리가 잘못한 거니까, 나도 같이 적는 걸 도와줄게. 그런데 친구들이 뭐라고 하더라도 그것을 받아들여야 해."
드리머는 류인태의 조언에 고개를 끄덕였고 그와 같이 아이들에게 전할 말을 적어서 보냈다.

"괜찮게 보낸 거겠지?"

전송을 완료한 드리머의 얼굴이 화끈거리면서 마음이 두근거렸다.

"그렇지 않을까? 나는 이게 최선이라고 생각해. 이제 친구들이 말하는 것을 받아들일 준비를 해야지."

드리머와 류인태는 주말 아침 일찍 일어났다. 그들이 일찍 일어난 것은 아인과 금잔하, 민다린, 새파란과 종이 놀이를 만들기 위해서였다.

"이제 올 시간이 됐겠지?"

"응. 이제 곧 도착할 거 같아. 아인은 전에도 일찍 왔으니까, 오늘도 일찍 올 수 있을 거 같아."

"그렇겠지? 우선 애들이 앉을 수 있게 이불을 정리해야겠다."

류인태는 사용한 이불과 베개를 옷장 앞쪽에다가 정리해 놓았다.

드리머는 침대 위를 정리했고 아이들과 먹을 간식을 가지러 갔다. 그가 부엌에서 간식을 챙기고 방으로 가려는데, 현관문에서 어머니와 대화를 나누는 아인을 보았다.

"안녕! 일찍 왔네?"

"안녕! 그거 가져가는 거니? 그거 이리 줘." 아인은 드리머가 들고 있는 간식을 들었다. "어서 가자."

아인이 계단을 올라가고 어머니가 드리머의 손목을 잡았다.

드리머는 어머니가 손목을 잡아서 뒤로 돌았다.

"드리머, 친구들이 오면 방으로 데려다줄 테니까, 먼저 놀고 있으렴."

어머니는 드리머가 다른 아이들을 기다릴까 봐, 안심하고 놀고 있으라는 것을 전해 주고 싶었다.

드리머는 웃으면서 계단을 올라갔다.

아인은 종이 놀이를 만들기 위한 재료들을 하나씩 확인하면서 류인태와 준비를 하고 있었다. 뒤늦게 들어온 드리머도 종이 놀이를 만들기 위한 준비를 도왔다.

종이 놀이를 만들 준비를 마치고 그들은 간식을 먹으면서 아이들을 기다렸다.

간식을 먹던 드리머가 물었다.

"우리가 마션의 꿈의 세계에 들어갔는데, 이번에 만들 종이 놀이에 활용하는 건 어떠니?"

"마션의 도구나 기술을 종이 놀이에 넣자는 거지? 음… 뭔가 어려울 거 같기는 한데…"

"말을 자동으로 움직이게 하는 것도 괜찮은데, 가능할까?"

류인태가 그들이 만들었던 종이 놀이에 있던 말을 들었다.

드리머와 아인도 말을 보면서 마션과 관련되어 만들어 보고 싶어져서 검색을 했다.

똑똑. 드리머의 방문을 두드리는 소리가 들리면서 문이 열렸다.

"친구들 왔구나." 어머니가 그들을 안으로 들여보내면서 말했다. "어서 들어가렴. 간식이 부족할 거 같으니, 더 가져다줄게."

금잔하와 민다린은 씩씩하게 대답했고 새파란은 수줍게 머리를 긁적이며 대답을 대신했다.

드리머와 아인, 류인태가 검색을 하고 있어서 방금 온 금잔하와 민다린, 새파란은 그들이 검색하는 것을 지켜보다가 같이 검색을 했다.

그들이 한 시간 정도를 검색해 보았지만, 마션이 종이 놀이를 이용한 영상이나 자료들이 없어서 찾을 수 없었고 그나마 드리머가 가지고 있던 자석으로 해 볼 만하다고 생각했다.

"우선 종이 놀이를 만들고 방법을 생각해 보자. 기본이라도 만들어 놓아야지 활용을 어떻게 할 수 있을지 정할 수 있을 거 같은데?"

신기한 종이 놀이

금잔하가 종이판 재료를 가운데에 놓으면서 종이 놀이를 만들기 시작했다.

드리머와 류인태는 판을 만들고 아인과 민다린은 그림을 그리고 금잔하와 새파란은 말을 꾸미기로 했다.

드리머와 아인, 류인태는 종이 놀이를 만들어 본 경험이 있어서 능숙하게 했지만, 나머지 아이들은 그들이 처음 했을 때와 비슷했다.

드리머와 류인태가 판을 다 만들어서 가운데에 놓고 마션과 관련된 종이 놀이를 만들어 보려고 자석을 가지고 왔다.

"우리가 이걸로 만들려면 어떻게 해야 할까? 판과 말을 다른 극으로 해야 할 텐데…"

"꼭 자석일 필요는 없잖아? 자석 말고 더 편하고 안전하게 움직일 수 있게 할 수 없을까?"

"자석 말고 층을 나눠서 움직이게 할 수는 있는데, 그렇게라도 해 볼까?"

"층을 나눠서 하는 것도 마션이 하는 거니?"

"응. 마션도 종이를 이용하는 것 중에 층이나 틈을 이용해서 하는 것들이 많아."

류인태는 팔찌로 설명하는 것을 띄워서 보여 주었다.

드리머는 류인태가 띄워 준 정보를 보다가 목걸이로 옮겼다.

류인태는 드리머가 읽는 동안 예시를 들려고 종이를 가져왔다.
"드리머, 다 읽어 봤니?" 그가 종이를 모으며 물었다.

드리머는 목걸이를 종료하고서 류인태를 보았다.

류인태가 종이를 들어서 드리머에게 말했다. "잘 봐 봐!" 그는 종이를 하나씩 위로 올렸다. "이렇게 종이를 여러 겹을 쌓으면 중간에 틈들이 있어. 여기로 말을 움직일 수 있게 손잡이를 만들어 주면 자동은 아니더라도 조금은 편하게 할 수 있어. … 어때?"

드리머는 류인태가 알려 준 방법이 나쁘지는 않았지만, 뭔가 아쉬웠다.
류인태는 드리머의 반응이 그렇게 긍정적이지 않은 것 같아서 더 괜찮은 방법을 찾으려고 마션들이 사용하는 여러 가지의 기술들이나 도구들을 생각했다.
'지금 이것보다 더 신기한 것을 원하는 것 같은데, 종이 놀이로는 힘들 거 같은데… 자석을 이용한 것 말고… 물이나 돌림판에 사용할 화살 모양 표지를 이용해서 움직이는 것, 이렇게 할 수 있을 것 같아.'
아인과 민다린도 그림을 다 그려서 금잔하와 새파란에게 주었다.
"재미는 있는데, 조금 힘드네."
처음 말 그림을 그린 민다린이 말했다.
아인이 웃으면서 민다린을 공감했다.
"그렇지? 아무래도 말이 작아서 작게 그리는 것에 집중하게 되지 않니?"
"맞아! 그래서 눈이 더 아프고 머리가 아픈 것 같아."
민다린과 아인은 집중했던 머리를 비우는 겸 대화를 나누었다.
드리머와 류인태는 다른 방법을 찾으면서도 금잔하와 새파란이 잘 만들고 있는지, 힘든 것은 없는지 살펴보면서 도와주었다.
민다린은 어느 정도 다 만들어진 종이판을 보면서 기뻐했다. 아인은 그녀가 기뻐하는 것이 그녀가 만든 것을 보아서 그런 것이라는 것을 느낄 수 있었다.
"이런 식으로 만들 수 있을까?"
드리머가 찾은 정보를 아인에게 보여 주면서 물었다.
아인은 드리머가 건전지를 이용해서 작동하는 방법을 보여 주어서 불가능하지 않을까 하는 애매한 표정을 지었다.
"이건 힘들지 않을까? 아무래도 전기를 이용한 것인데, 종이로 만드는 것은 어려울 것 같아."

“그런가? … 아니면 우리가 직접 연결을 해서라도 할 수는 없나?”

“그게 그거일 거야, 드리머. 그걸 연결할 시간에 차라리 직접 옮기는 게 나으니까.”

아인은 드리머에게 도움이 되지 못하는 것 같아서 미안했지만, 그가 보여 준 것을 따라 하는 것은 어려웠기에 어쩔 수가 없었다.

“드리머, 그건 다시 생각해 봐야 할 것 같아. 우리가 그렇게까지 하기는 어려울 거 같아서…”

류인태도 최선을 다했지만, 그 이상 하는 것은 아닌 것 같다고 생각했다.

“그러고 보니, 태현이 없네.”

뭔가 이상해서 아이들을 한 명씩 보던 아인이 말했다.

드리머와 류인태는 복태현을 부르지 않은 것에 깜짝 놀랐다.

“그러네? 태현을 부르는 것을 깜빡했잖아!”

“이거 미안하네.”

“태현이라면 너희와 같이 있던 친구를 말하는 거 아니니?”

다 꾸민 말을 판 위에 놓는 금잔하가 물었다.

미안해서 머리를 긁적이는 드리머와 팔찌로 연락을 해야 하나 고민하는 류인태가 고개를 끄덕였다. 그들의 행동을 평소에 많이 보지 못한 금잔하가 아인을 보고 웃으면서 간접적으로 당황스럽다는 것을 알렸지만, 그녀는 아무렇지 않아 하면서 괜찮다는 몸짓을 했다.

류인태가 고민하던 것을 멈추고 자신 있게 드리머에게 말했다.

“드리머, 태현에게는 먼저 말을 꺼내지 않는 것이 나을 것 같아. 태현에게 말해도 이해해 주겠지만, 혹시 모를 상황이 있으니까.”

“나도 그렇게 생각해. 태현에게는 미안하지만, 먼저 말을 하는 것은 좋지 않은 것 같아.”

아인이 대화를 나누는 드리머와 류인태에게 말했다.

"그건 나중에 생각하고 지금은 종이 놀이를 만들고 있잖아. 너희 집까지 불렀는데, 잔하와 다린, 파란에게 집중을 하지 않는 것은 아니라고 생각해."

"이렇게 같이하는 것만으로도 재미있는데… 그렇지 않니?"

금잔하가 말을 만들면서 민다린과 새파란에게 물었다.

말이 다 만들어질 때까지 기다리는 민다린의 표정은 밝았지만, 말을 만드는 새파란은 집중하느라 눈에 힘을 주고 있었다.

맡은 말을 다 만든 금잔하는 말을 종이판 위에 올려놓고서 몸을 풀었다. "으… 차!"

드리머와 류인태는 다 만든 말에 어설픈 곳이나 위험할 만한 곳은 없는지 확인을 했고 금잔하와 민다린은 종이 놀이의 완성이 어떨지 기대하는 눈빛으로 그들이 확인하는 모습을 보았다.

아인은 종이판에 빈 공간을 발견했다.

"우리의 할 일이 끝난 게 아니야! 우리가 종이판에 내용을 적어야 하는데, 어떤 주제로 하는 게 낫겠니? 전처럼 모험에 관련된 내용으로 하면 될까?"

금잔하는 민다린과 새파란을 한 번씩 보았다.

종이 놀이를 가장 좋아했던 민다린이 말했다.

"나는 원래대로 해도 괜찮다고 생각해! 전에 했던 내용의 끝을 못 보기도 했거든."

"음… 그러면 나도 다린이의 의견을 따를게. 파란은?"

새파란은 금잔하가 물어서 대답을 하려다가 주위에 아이들이 많아서 얼굴이 붉어지면서 만들고 있던 말로 시선을 옮겼다. 그의 반응에 웃던 아인은 종이판에다가 무힌에게 종이 놀이를 만들어서 주었을 때 적었던 내용들을 적었다.

금잔하와 민다린은 아인이 적는 내용을 구경하면서 속으로 읽었다.

드리머와 류인태는 아인과 같이 그때의 내용을 말하면서 종이판을 완성해 갔다.

뒤늦게 말을 다 만든 새파란도 옆으로 와서 보았다.

어머니는 문을 조심스럽게 열었다.

"이제 점심시간인데, 밥은 어떻게 하는 게 낫겠니?"

그들은 종이 놀이에만 몰두하고 있어서 밥을 먹는 것을 염두 하지 않았었다.

그들 중에 먼저 의견을 잘 내는 아인이 의견을 냈다.

"오랜만에 이렇게 모였는데, 밖에 나가서 먹는 건 어떠니?"

"그것도 그러네. 오랜만에 만나기는 한다."

"그러렴. 오랜만에 만났으니까, 집에만 있는 것도 아까울 것 같구나! 나가서 맛있는 거 먹고 잠깐 쉬고 오는 게, 머리를 비우는 것에도 도움이 되지 않을까?"

어머니는 그들이 편하게 정할 수 있도록 1층으로 내려갔다.

"그러면 이것만 적고 나가서 먹는 건 어떠니? 이것만 하면 방수비닐을 붙이는 것만 하면 되니까."

드리머가 창문 밖을 보면서 말했다.

"막상 나오기는 했는데, 어디서 뭘 먹는 게 나을까?"

"먹을 게 너무 많아서 고민이야."

금잔하는 아쉬운 표정으로 음식점을 둘러보았다.

음식점을 돌아다니다가 복태현네가 운영하는 빵 가게가 보였고 가게에서 잠깐 나온 복태현이 그들을 발견했다.

"어? 안녕! 어디 가는 거니?"

"뭘 먹을지 고민하고 있었어."

"아아…" 복태현은 드리머와 친구들을 보다가 말을 멈추었고 정적이 흘렀다.

드리머와 류인태는 복태현이 자신을 부르지 않아서 좋지 않은 것인지 걱정했다.

복태현이 가게로 들어가고 노장연이 나왔다.

"얘들아, 들어와서 먹으렴. 이거는 조금씩 나눠서 가져왔는데, 먹어 보렴!"

노장연은 빵을 주고서 다시 들어갔다.

아이들은 노장연이 준 음식을 먹으면서 안으로 들어갔다.

"편한 곳에 앉으렴."

노장연은 아이들에게 기본적인 것들을 주려고 아이들이 앉을 때까지 기다렸다가 준비한 것을 주고서 바로 부엌으로 갔고 복태현이 그들이 앉은 자리로 와서 물을 따라 주었다.

"고마워."

아이들은 복태현에게 물을 받으면서 고맙다며 인사했다.

"음식은 빨리 나올 거니까, 먼저 음식을 고르는 게 나을 거야. … 지금은 손님들이 많이 없는 시간이라서 괜찮겠지만, 언제 또 주문이 밀릴지 모르거든."

금잔하가 음식이 적힌 판을 들어서 옆에 앉은 민다린과 새파란과 같이 보았다.

드리머와 아인, 류인태도 같이 판을 보았다.

"어떤 걸로 먹을래?"

"나는 이걸로 먹어야겠다."

"나는…" 드리머는 음식 사진만으로는 잘 모르겠어서 결정하기가 어려웠다. "뭐가 뭔지 잘 모르겠어서 결정을 못 하겠어."

복태현이 어떤 음식을 가리키면서 추천을 해 주어서 음식을 고르는 것을 끝낼 수 있었다.

그들이 주문한 빵들은 모두 달랐다. 야채가 많이 들어간 빵과 적당히 들어간 빵, 기본 빵, 고기 맛이 나는 재료가 많이 들어간 빵, 적당히 들어간 빵, 다양한 재료가 적당히 들어간 빵이었다. 그들은 각자가 주문한 것을 가져가서 흘리지 않도록 미리 준비한 접시에 받쳐서 먹었다.

바깥에서 먹어서 조용히 먹는 것도 있지만, 음식을 먹는 동안에는 서로에게 실수를 하지 않도록 말을 많이 하지 않았다.

노장연은 복태현에게 아이들과 같이 있으면서 쉬라고 데려다주었고 아이들은 그를 환영했다.

"그런데 다 같이 모여서 뭘 하고 있었니?"

그들은 복태현의 물음에 조용히 그를 쳐다보았다.

그중에서 그나마 그런 말을 잘하는 류인태가 설명했다.

"전에 우리가 종이 놀이를 만든 적이 있잖아? … 그런데 그걸 만들어 주지 못해서 우리가 불렀어."

류인태의 설명을 들은 복태현은 고개를 끄덕였다. 그의 반응은 그들이 생각했던 그런 반응이 아니었다.

"괜찮은 건가?"

아인이 복태현에게 들리지 않도록 드리머에게 물었다.

드리머는 복태현과 같이 있었지만, 반응까지는 잘 몰랐다.

"나도 잘 모르겠네."

복태현이 눈을 두 번 깜빡이더니, 빵을 먹으면서 눈을 찌푸렸다. 드리머는 그가 눈을 찌푸린 이유를 알고 있었지만, 할 수 있는 것이 없었다. '빵 말고 다른 것을 챙겨 줄 수는 없는데…' 그는 난처해했다.

복태현은 참고 먹다가 음료를 가지러 일어났다.

민다린이 드리머에게 물었다.

"원래 태현은 이걸 안 좋아하니? 먹는 표정이 좋아 보이지가 않네."

"너무 많이 먹어서 다른 음식을 먹고 싶어 하더라고…"

"그랬구나! 그래서 그랬던 거였구나…"

민다린은 복태현이 너무 많이 먹어서 그런 것을 이해했다.

복태현이 음료를 가져와서 아이들에게 나눠 주었다. 아이들은 고마워하며 음료를 받았다. 드리머도 목이 말랐는데, 그가 음료를 가져다준 덕분에 목이 마르지 않게 빵을 먹을 수 있었다.

"이제 다시 가자!"

음식을 다 먹어서 쓰레기만 남은 식탁을 본 아인이 외쳤다.

드리머와 아이들은 정리를 하고서 그곳에서 나왔다.

"으아…" 류인태가 배에 손을 가져다 대고 말했다. "정말 많은 음식이 이 안에 있으니까, 걷기가 힘드네."

"하하하! 그런 말을 하고 있지만, 네 발은 열심히 걷고 있는걸."

류인태의 농담이 웃긴 아인도 농담을 하며 재미있어했다.

드리머도 배가 불러서 한 걸음 한 걸음이 무거웠다. '너무 많이 먹었나 보다… 이렇게 힘들게 걷는 것이 할아버지 할머니네에서 먹었을 때 같아.' 그는 할아버지 할머니네에서 산책을 하면서 계획했던 것을 하지 못했다는 것을 깨달았다. '맞다. 내가 운동을 한다고 했었는데, 안 했네.' 그는 계획만 세우고 하지 않았다는 것에 한탄했다. '운동을 해야 하는데, 할 수 있을까?'

집으로 간 지 몇 시간도 안 돼서 종이 놀이가 완성되었다.

"역시 인태가 방수 비닐을 잘 붙인다니까? 빠르게 끝날 줄 알았어!"

아인이 방수 비닐을 보면서 류인태를 칭찬했다.

류인태는 뒤통수를 긁적이면서 쑥스러워했다.

드리머는 저번에 류인태가 붙인 방수 비닐과 비교하면서 그의 실력을 인정했다.

금잔하와 민다린, 새파란은 종이 놀이를 누가 가져갈지 결정하지 않아서 고민을 하다가 금잔하의 집에서 많이 모여서 그녀가 가져가기로 했다.

아이들이 집으로 가려고 할 때, 드리머가 갑자기 생각난 것이 있었다. "이거…" 자석을 가져온 그가 물었다. "우리가 말을 자동으로 이동할 수 있게 하지는 못하지만, 손으로 잡지 않게 할 수는 있지 않을까?"

류인태는 손으로 잡는 것을 생략할 수 있어서 드리머의 생각에 긍정적이었고 그것을 실현시켜 보고 싶었다.

드리머는 바닥에 앉아서 류인태의 행동을 보고 어떤 방법인지 맞추고 싶었지만, 그것도 쉽지는 않았다.

'도대체 뭘 하려고 그러는 거지?'

아인이 종이 놀이를 챙겨서 가려고 하는 아이들을 가리켰다.

"새로 만드는 건 좋은데, 가려고 준비한 상황이라… 우선 갈 수 있도록 하는 것이 나은 것 같은데, 어떠니?" 그녀는 드리머와 류인태의 기분이 나쁘지 않도록 좋게 물어보았다.

종이 놀이 말을 잡고서 고민을 하던 류인태가 고개를 들었다.

"그러면 어떻게 하지? 우리가 다 만들고 나서 알려 줘도 괜찮겠니?"

금잔하가 종이 놀이판을 보면서 물었다.

"이건 다 완성한 게 아니니?"

"그건 다 완성한 거야. … 지금 인태가 말하는 건 더 좋게 만든다면, 그때 다시 알려 줘도 괜찮냐고 물은 걸 거야."

다시 일어나서 금잔하에게 다가간 드리머가 잘 설명해 주었다.

금잔하가 고개를 끄덕이고 민다린과 새파란을 보았는데, 그들도 그녀와 같은 심정이었다. 모두가 집으로 가고 싶었다.

드리머와 류인태는 아이들을 배웅하고 다시 올라왔다.

"우리가 손을 대지 않고 움직일 수 있는 방법은 말에다가 자석을 붙이고 우리가 자석을 잡고 있는 거야."

자석을 잡은 류인태가 드리머에게 설명했다.

드리머는 류인태의 설명을 들어서 이해가 되었지만, 손으로 잡고 하는 것과 다를 것이 없어 보여서 고개를 기울였다.

"인태야, 내가 한 가지 궁금한 게 있어서 그런데… 이러면 자석을 잡지 않을 때와 뭐가 다른 거야?"

"어··· 다른 게 없네."

"잘 쉬고 왔니?" 거울을 보며 연습을 하는 마션이 말했다. "표정을 보니까, 아닌 거 같기도 하네."

"네. 마션, 궁금한 게 있어서요."

"궁금한 거?" 마션이 웃으면서 드리머의 얼굴을 보며 말했다. "정확히는 모르겠지만, 네 친구에게 뭔가를 주려고 했는데, 뭔가 아쉽나 보구나."

"오! 어떻게 알았어요?"

드리머는 자신의 생각을 읽은 마션이 놀라웠다.

"그것 또한 마션이 갖추어야 하는 거지··· 사람의 심리나 생각을 읽을 수 있는 거 말이야."

류인태가 마션의 행동과 표정을 보았는데, 그가 우연하게 맞춘 것이 아니고 정말로 뭔가를 알고 있어서 맞춘 것이라고 생각했다.

'이것도 우리를 속이는 것은 아니겠지? 몰래 와서 우리를 보았던가, 그런 것은 아닐 거야.'

"그런 능력이 있었다면 나는 여기에 없을 수도 있어."

마션이 류인태에게 농담을 하듯이 생각을 읽었다는 것을 알렸다.

류인태는 순식간에 자신의 생각을 읽어서 소름이 끼쳤다. '아무리 마션이라도 이 정도는 소름이다.' 그는 마션의 공연을 멀리서 보거나 컴퓨터로 본 것보다 가까이에서 보는 것이 훨씬 더 놀라움을 전달할 수 있다는 것을 느꼈다.

"종이 놀이를 만들었는데, 손을 사용하지 않고 종이 말들을 움직일 수 있을까 해서요. 음··· 정확히는 손으로 말을 움직이지 않았으면 좋겠어요."

"그런 것은 아주 쉬운 문제지."

"쉬운 문제라고요? 어떤 건가요?"

드리머는 믿을 수 없다는 듯한 눈빛으로 마션을 보았다.

"그건 우리 주위에도 있고 꼭 필요한 것이지." 마션은 연습하던 도구를 작고 둥근 의자 위에 놓았다. "물이나 전기. 너희가 만든 종이판에 움직일 말의 수만큼 더 만드는 거지. 종이 말이 두 개면, 두 개의 물길을 더 만들어서 물이 흐르게 하는 거야. 너희가 만든 돌림판에 적힌 숫자만큼 움직일 수 있는 물의 양이 들어갈 공간을 만들고 그 물이 중간에 새지 않도록 나가는 입구를 막는 거야. 그리고 필요할 때, 그 문을 열면 되지."

"물은 어떻게 채워야 하나요?"

"물은 돌림판 가운데다가 물이 담긴 병을 꽂아 놓고 다른 곳으로 물이 새지 않도록 하면 되지 않을까? 병 안에 있는 물이 다 떨어지면 새로 채워야 하니까."

"역시 마션의 생각은 정말 대단해요! 나도 그런 생각을 빠르게 할 수 있도록 하고 싶어요."

류인태의 각오에 크게 웃는 마션의 웃음소리가 방 안에서 퍼졌다. "하하하! 정말 재미있는 친구구나. 생각을 빠르게 할 수는 있지. 그런데 생각을 실현하는 게 어려운 것이 경험에서 차이가 나기 때문이란다." 그는 류인태가 그 뜻을 이해하는 날이 왔으면 좋겠다는 마음으로 어깨에 손을 툭 올리고서 토닥였고 다시 연습을 하러 갔다.

"마션은 연습만 계속 하네. 대단하다."

드리머는 연습을 하는 마션의 모습을 보다가 자괴감이 들었다.

류인태도 마션에게 지지 않으려고 옆으로 가서 연습을 하면서 경쟁을 하듯이 열심히 했다.

아인은 본인이 만든 도구들을 유심히 보면서 고칠 곳은 없는지 살펴보고 있었다. 드리머는 그녀가 만든 도구들을 구경하려고 옆으로 갔다.

'도구들이 다양하네.'

아인이 만든 도구들은 의료기로 의사나 엔타가 사용하는 도구들이었다. 그중에 인식기처럼 보이는 것도 보였다.

“이건 인식기 아니야?”

“맞아! 거기에 필요한 재료가 있어서 넣어야 해. 아직 완성되지 않았거든.”

“어떤 건데? 인식기처럼 만들 거면 인식할 수 있는 재료가 필요하겠는데?”

“똑같이 만들려고 한다면 그게 정답이겠지만, 나는 조금 다르게 만들려고!”

아인은 만든 도구들이 망가지지 않도록 조그만 상자에 넣고 뚜껑을 닫고서 가방에 넣었다.

‘나도 빨리 만들어야 하는데…’ 드리머는 마션과 공연을 하는 것과 친구들에게 종이 놀이를 만들어 주는 것이 겹쳐서 생각해야 하는 것이 너무나도 많았다. ‘어떤 걸 해야 하지? 종이 놀이가 먼저일까? 공연이 먼저일까?’ 그는 머릿속이 복잡해서 어지러웠다.

“후우…” 복태현이 한숨을 내쉬면서 드리머의 옆에 앉았다. “후우…”

드리머는 복태현의 그런 모습에 무슨 일인지 묻고 싶었지만, 묻지 않고 참았다.

복태현은 피곤한지 눈을 깜빡이며 머리를 벽에 대었다. 드리머도 머릿속이 복잡하고 피곤해서 벽에 머리를 대었다.

“어?” 복태현은 갑자기 뭔가가 떠올랐는지, 마션에게 갔다. “혹시 처음에 갔었던 방으로 가도 되나요?”

“처음에 갔었던 방?”

마션은 복태현의 갑작스러운 질문에 고개를 끄덕이며 그를 데리고 처음 들어갔었던 방으로 데리고 갔다. 드리머는 할 것도 없어서 그곳으로 가는 것이 나을 것 같다고 생각했다.

‘처음에 갔었던 곳에 가면 뭔가가 떠오를 수 있고 생각이 정리

될 수도 있을 거야.'

끼이익. 처음 들어갔었던 방의 문에서 나는 굵은 소리는 문이 닫혔을 때, 얼마나 열기 힘든지 알려 주는 듯했다.

"여기가 너희가 처음에 들어갔었던 곳이란다." 마션은 드리머와 복태현을 방 안으로 데리고 갔다. "지금은 장치가 작동되지 않을 거니까, 안심하고 보면 된단다."

뭔가가 날아올 수 있을 것 같아서 주위를 살펴보던 드리머는 안도의 한숨을 내쉬면서 긴장을 풀었다. "휴우."

복태현은 들어가자마자 나무와 풀 모형으로 갔다. 그가 정말로 그것 때문에 오고 싶어 했다는 것을 느끼게 한 것은 그의 행동이었다. 그는 본인이 공연할 때 필요한 재료들을 그린 종이를 가져와서 비교했다.

드리머는 뭔가가 떠오를 수 있게 그곳을 편하게 구경했다.

그들에게 마구잡이로 쏘아대었던 종이 수리검을 보내는 것 같은 구멍이 보였다.

드리머는 살짝 반짝였던 모형 근처로 갔다. '분명 여기서 빛이 났던 거 같은데? … 코치는…' 그는 빛의 형태인 코치가 근처에 있다는 것을 확인하고서 다시 모형을 보았다. '왜 모형에서 빛이 났던 걸까?' 그가 빛이 난 이유를 알지 못해서 위에서 날고 있던 그녀가 그의 머릿속으로 들어갔다.

"드리머, 뭔지 알아냈니?"

공중에서 날고 있는 코치가 물었다.

"아직 잘 모르겠네. 빛이 났던 것은 마션이 설치한 장치 때문이 아닐까?"

"아니야. 그건 마션이 정교하게 설치한 거울 때문이야."

"거울?" 드리머는 그동안 보았었던 자연스러운 것들이 거울이라는 것에 놀랐다. "거울이 안 보이던데…"

"아마 마션이 그걸 의도한 게 아닐까? 나도 처음에는 거울인지 몰랐거든."

코치는 드리머가 도망을 다니는 동안 거울인 것을 알게 되었다는 것을 그에게 설명했다.

드리머는 마션이라는 세계가 정말 놀랍다는 것을 다시 한번 느끼게 되었다.

코치는 드리머가 또 다른 고민을 하고 있다는 것을 알고 있어서 그것에 대해서도 말을 꺼냈다.

"네가 하는 공연도 중요하고 친구들에게 만들어 주는 것도 중요하지만, 어떤 것을 마지막에 하느냐는 네가 선택하면 돼."

코치는 계속 드리머의 옆에 있었기에 그가 혼잣말을 하거나 한숨을 내쉬면서 걱정을 하고 있는 것을 모두 다 듣고 보았었다.

드리머는 코치가 조언한 것에 동의했고 그녀의 조언을 생각하면서 뭐가 중요한지 그녀와 진지하게 대화를 나누면서 고민해 보았다. 그녀가 그의 말을 잘 들어 주고 반응하며 편안한 분위기를 조성해서 부담을 조금이라도 덜어 주려고 했는데, 그것은 그에게 좋은 영향을 주었다.

"조금 나아졌니?"

"응! 나아진 거 같아! 고마워, 코치."

마션에게 왔을 때의 드리머의 어두웠던 표정이 조금은 밝아졌다.

드리머는 마션이 알려 준 방법의 원리를 생각하며 종이 놀이 말을 자동으로 이동하는 방법을 연구했다. '말이 이동하는 거리만큼 이동할 수 있도록 물의 양을 조절해야 해. 이동하고 나서는 물이 흘러나오지 않게 잠겨야 하고…' 물을 떠서 온 그는 물이 이동할 수 있는 길로 사용할 만한 물건을 찾아보았다. '물이 다녀도 젖지 않고 잘 흘러가게 할 수 있는 물건이 필요한데…'

"뭘 찾는 거니?"

다른 도구를 가지러 왔다가 드리머를 발견한 마션이 물었다.

"물을 이용할 수 있는 물건을 찾고 있었어요."

"흠…" 두 개의 도구를 든 마션이 고민을 하다가 드리머에게 주었다. "네가 어떤 것을 하는지는 모르겠지만, 이게 괜찮을 거 같구나." 그가 준 것은 짧고 네모난 물건이었다.

드리머는 마션이 어떻게 사용하는지 알려 주지 않아서 우선 물을 부어 보기로 했다.

쪼르륵. 물을 부은 드리머가 물의 흐름을 지켜보았는데, 물은 도구 안에서 계속 흐르고 있었다.

'물이 계속 흐르고 있는 거 같은데? 아니면 다른 걸 설치해 놓은 건가?' 드리머는 안쪽에 다른 장치를 설치한 것 같아서 물건을 들어 보고 안쪽 끝을 보았다. '다른 장치는 없어 보이는데…' 그는 장치가 있는지 찾다가 바닥에 있는 구멍을 발견했다. '이 구멍으로 물이 빠지고 있는 거 같아.' 그는 구멍으로 물이 빠지는 것을 알았지만, 물이 줄지 않아서 나오는 곳이 어디인지 찾아보았다. '구멍 반대편에 물이 나오는 곳이 있겠지?' 물이 나오는 곳은 그가 생각했던 것보다 작았지만, 물은 줄지 않고 유지되고 있었다. '도구 안쪽에 뭐가 있는 건 맞나 보다.'

안쪽에 뭐가 있든지 드리머에게는 중요하지 않았다.

'종이 말을 만들어서 실험해 봐야겠다.' 드리머는 종이 말과 비슷한 크기로 만들었다. '이 정도면 되겠지?'

드리머가 임시로 만든 종이 말을 물 위에 띄워서 이동하는 것을 보았는데, 종이 말은 잘 이동했다.

'종이 말이 잘 움직인다.' 드리머가 좋아하는 것도 잠시, 종이 말은 바닥에 구멍이 난 곳까지 이동해서 둥둥 떠다니고 있었다. '종이 말이 잘 나아가는 건 좋은데, 물이 계속 흘러서 거리를 잴 수가 없네.' 그가 물을 멈추려고 도구의 겉면을 둘러보았지만, 멈출 수 있는 장치는 없었다. '이건 어떻게 멈추는 거지?'

드리머가 멈춰 보려고 했지만, 아무리 해도 멈출 수 있는 방법이 없는 거 같아서 마션에게 갔다.

"이건 어떻게 멈출 수 있는 건가요?"

"그건 멈출 수 없어."

"그러면 계속 흘러가는 건가요?"

"그렇지. 그런데 이걸 왜 멈추려고 하는 거니?"

드리머는 마션에게 물을 멈추게 하려는 이유에 대해서 설명했다.

마션은 드리머에게 필요한 것이 무엇인지 알게 되었고 다른 도구를 가지고 왔다.

"이거면 될 거 같구나."

마션은 새로운 도구를 주고서 연습을 했다.

드리머는 새로운 도구와 원래 주었던 도구의 차이를 느끼지 못했다. '뭐가 다른 거지?' 그는 도구의 차이점을 찾으며 자리로 돌아갔다.

새로운 도구에 종이 말을 놓았다. 종이 말은 잠깐 제자리에서 둥둥 떠다니다가 이동하기 시작했다. 잘되어 가는 것처럼 보였지만, 방금 사용했던 도구처럼 물은 계속 흘렀다.

'달라진 게 없는 거 같아.'

드리머는 아쉬워서 가만히 있었다.

"그건 기울여야 해." 연습을 마친 류인태가 새로운 도구를 살짝 기울였다. "이건 평평해 보이지만, 사실 약간 기울어져서 물이 계속 흐르고 있는 거야."

"어떻게 이렇게 만들 수 있는 거야?"

"바닥의 깊이가 달라도 물의 높이는 같지. 그런데 깊은 곳에 구멍을 내서 물의 움직임을 만든 거고 물의 양을 유지하기 위해서 구멍으로 빠진 물이 순환할 수 있도록 구멍 반대편에 물을 공급하는 곳을 따로 만든 거지." 류인태는 설명을 너무 길게 해서 숨이 찼다. "후우… 물의 높이에 맞는 위치에 구멍을 내고 물을 공급하면서 물의 높이를 유지할 수 있게 한 거지."

"정말 복잡하구나." 드리머는 그 작은 도구에 복잡한 원리가 있다는 것에 놀랐다. "그런데 기울이는 이유는 뭐야?"

"이걸 기울여서 물의 흐름을 바꾸는 거야."

"어렵다. 그러면 이걸 왜 준 거지? 이걸로는 종이 말을 움직이는 데 필요한 물의 양을 알 수가 없는데." 드리머는 마션이 이런 도구를 준 이유를 곰곰이 생각해 보았다. '이 도구와 내가 하려는 것을 연관 지어 보면 물인 거 같은데… 인태가 말한 물의 원리를 알려 주려고 한 걸까?' 그는 물의 흐름에 정답이 있을 거 같아서 도구를 들고 물의 흐름에 대해 생각했다. '아! 혹시 물의 흐름을 이용해서 종이 놀이를 만들라는 건가? 그렇다면… 돌림판 가운데에 물을 보충하는 통을 꽂아 놓고 물이 이동할 수 있게 하면 종이 말이 움직이는 거야. 그건 그렇고 내가 해야 하는 것은 말이 움직이는 데 필요한 물의 양을 구하는 거야.'

드리머는 마션의 도구로 물의 양을 구하기는 어렵다고 생각해서 집에서 다시 해 보기로 했다.

"이건 물의 양을 재려고 만든 거야?"

류인태가 물었다.

"응. 마션이 주었던 도구들로는 물의 양을 잴 수 없었어. 그래서 이렇게 따로 만들었지!"

드리머는 자신이 만든 물길을 류인태에게 자랑스럽게 보여 주었고 류인태는 그의 옆에 앉아서 측정하는 것을 보았다.

드리머가 만든 물길에 물을 부었더니, 물이 흘러가면서 종이 놀이 말을 움직이게 했고 물이 다시 되돌아오지 않도록 만든 언덕으로 물이 쏟아졌다.

드리머는 종이 놀이 말이 움직인 거리를 확인하면서 원하는 길이가 나올 때까지 해 보았다.

류인태는 종이 놀이 말이 생각보다 무거워서 물이 많이 필요한 것을 처음 알았다.

“종이 놀이 말의 무게가 생각보다 많이 나간다.”

“아니면 물이 흘러가는 깊이가 낮아서 그런 것 같기도 해. … 바다에서 파도가 치는 것처럼 굵은 파도가 쳤다면, 많이 가지 않았을까?”

드리머가 확신을 하지 못하며 물었다.

류인태도 시도를 해 보지는 않았지만, 뭔가 그럴 거 같아서 고개를 끄덕였다.

드리머와 류인태는 물의 높낮이를 조절해서 종이 놀이판의 한 칸의 길이와 비교하며 물의 양을 알아보았다. 길이는 그들이 조금이라도 물을 덜 넣거나 더 넣어도 변했기에 신중하게 해야 했다.

드리머는 물을 보충하고 류인태는 길이를 재는 것으로 역할을 나누며 더 세세하게 일을 했다. 그들이 역할을 나누고 몇 번을 반복했더니, 익숙해져서 처음보다는 더 괜찮아졌다.

“드리머, 이제 한 줄의 길이는 된 거 같은데?”

류인태가 종이 놀이판을 보며 물었다.

“그런가? 그러면 오늘은 한 줄만 하고 다음에 이어서 하는 게 나을까?”

드리머는 더해야 하나 싶어서 고민이 되었다.

류인태는 오늘 안에 끝나지 않을 거 같아서 그만하자고 고개를 끄덕였고 이불 위에 누웠다.

드리머는 류인태가 지친 거 같아 보여서 그의 의견에 따르기로 했다. ‘이 정도만 해도 좋을 것 같아.’ 그도 잘 준비를 하려고 재료들을 한쪽에 두었다.

“이것 좀 볼래?” 아인이 종이 인식기를 내밀면서 물었다. “내가 만든 건데, 괜찮은 거 같니?”

드리머와 류인태는 아인이 만든 종이 인식기를 살펴보았다. 그녀가 만든 종이 인식기의 모형은 인식기와 똑같다고 생각될 정도로 잘 만들었다.

"겉은 정말 잘 만들었다!"

"응. 그런데 이건 종이인데, 인식기의 기능을 어떻게 가져오려고 하는 거니?"

아인은 종이 인식기에 관한 내용을 적은 종이를 보여 주었다. 드리머와 류인태는 그녀가 보여 준 종이를 읽었고 그녀가 만들 종이 인식기가 주요 도구가 아니라는 것을 알았다.

"이건 빛을 내는 용도로만 하는 거네?"

"맞아! 빛을 내는 용도로 하고 변화는 다른 걸로 주려고 해."

드리머는 아인이 말한 대로 하는 것이 어려울 것 같아서 말을 하지 않고 애매하게 반응했지만, 흥미롭게 보았던 류인태는 그녀가 어떻게 연출을 할지 궁금해졌다.

아인은 외형이 괜찮다고 해서 만족했고 마션에게 필요한 기술을 배우러 갔다.

"나도 해야 하는데… 언제 하지?"

"우선 우리는 괜찮은 종이 놀이를 만들어야 해. 네가 연출을 준비할 때, 내가 도와줄게."

연구했던 재료들을 가져와서 종이 놀이판과 똑같은 모양의 물길을 만든 드리머와 류인태가 물을 받아 와서 전처럼 역할을 나누었다. 물은 물길을 따라 지나갔지만, 종이 말은 그렇지 않았다. 그들은 종이 말이 예상한 대로 가지 않아서 당황스러웠다.

드리머는 머리가 하얘지고 멀미가 나서 그만두고 싶었다.

'더 이상 하는 건 의미가 없는 거 같네. 뭐가 나아지지도 않았어.'

류인태는 종이 말이 종이 놀이판의 구석을 지날 때, 물이 더 필요해서 구석에 물을 추가할 수 있도록 물이 담긴 통을 놓았고 종이 말이 지나가면서 자동으로 물이 나올 수 있는 방법을 생각하다가 통 아래쪽에 막대를 설치했다. 구석을 지나갈 때, 막대를 쳐서 자동으로 물이 나오게 하면서 종이 놀이 말이 움직이지 않을 때는 역류하는 물에 밀리지 않도록 종이 말 뒤쪽에 길쭉한 판을 붙였다.

"종이 말에 붙인 판이 강하지 않으면 구석에 설치한 막대를 치기가 어려울 거 같은데…"

"아마도 그럴 거야. 그래서 그 강도를 맞춰 보려고…" 류인태가 웃으면서 드리머를 보며 물었다. "반복하는 것이 새로운 것을 만들 때 필요한 거 아닐까?"

드리머는 류인태에게서 알 수 없는 따뜻한 기운을 느꼈다.

드리머와 류인태가 구석에 설치한 병에서 물이 나올 수 있도록 말 뒤에 붙인 판의 두께를 조절했는데, 그것이 쉽지 않은 과정이었다는 것을 달이 알려 주었다.

"오늘은 생각보다 오래 걸렸어."

"그러게. 그래도 이제 다했다고 볼 수 있지 않을까?"

드리머와 류인태는 그들이 실험을 해서 완성한 물길을 보며 뿌듯해했다.

드리머는 그것이 부서지지 않도록 구석에 잘 놓았다.

6
드리머의 공연 주제

"너희 공연 준비는 잘하고 있는 거니?" 마션이 마실 것을 나눠 주면서 말했다. "마션에게 있어서 중요한 것은 끈기와 노력도 있지만 실수를 하지 않아야 해. 실수는 곧 끝이라고 볼 수 있거든."

드리머는 실수를 하지 않아야 한다는 것에 바짝 긴장해서 손이 떨렸다. 떨리는 손을 본 아인이 그의 손을 살포시 잡아 주었다. 그가 깜짝 놀라서 그녀를 보았는데, 그녀는 웃으면서 마션을 보며 설명을 들었다.

드리머는 아인을 보다가 시야에 마션이 보여서 그가 다른 생각을 하지 않았다는 것처럼 보이려고 마션을 보았다.

마션의 설명이 끝나고 그들은 각자 만든 도구로 연습을 시작했다. 이번에 하는 연습은 공연을 하기 위한 연습이어서 전과 다르게 약간 무거운 분위기였다.

아인도 도구를 챙겨서 거울로 향하는데, 드리머가 그녀에게 물었다.

"네가 들고 있는 그건 뭐니?"

아인은 웃으면서 들고 있는 도구를 보여 주었다. "이건 종이 인식기야! 전에 너희에게 보여 주었잖아? 이건 완전하게 다 만든 거야." 그녀가 웃으면서 종이 인식기를 만졌더니, 인식기에서 빛이 나오면서 어떤 모양이 서서히 만들어졌다.

그 모양은 가만히 고정된 것이 아니고 흐르는 듯해 보였다.

"이걸 네가 공연할 때, 사용하는 거지?"

"맞아! 이게 내가 공연에 사용할 도구야."

아인이 장난스러운 웃음을 지으며 연습을 하러 갔다.

드리머는 장난스러운 아인의 웃음에 같이 장난스럽게 웃었지만, 그의 속은 그렇지 않았다. '나도 빨리 도구를 만들어야 해.' 그는 본격적으로 도구를 만드는 것에 몰두했다. '내가 생각한 것은 우리의 일상이야. 숟가락과 젓가락, 베개와 이불이 필요해.' 그는 준비물을 하나씩 생각해 보면서 공연에 필요한 것과 필요 없는 것으로 분류했다.

집으로 가면서 드리머는 도구를 만들 재료들을 구매하려고 학용품 가게 앞에 멈추었다.

"나는 학용품 가게에 들렀다가 갈게요."

"뭐가 필요한 거니?"

"네!" 드리머는 도구를 만들 생각에 싱글벙글했다. "이번 꿈의 세계에서 필요한 거예요."

부모님은 드리머가 혼자 구매할 수 있도록 두고 류인태와 집으로 갔다.

'좋아. 내가 필요한 재료들을 구하는 거야!'

드리머는 힘찬 발걸음으로 학용품 가게 안으로 들어갔다.

띠링. 학용품 가게의 문에 달린 종이 울리면서 드리머가 들어간다는 것을 신령수에게 알렸다. 드리머가 그곳을 자주 들르고 특이해서 기억하고 있는 그가 드리머를 환한 미소로 반겨 주었다. 드리머도 학용품 가게에서 시끄럽게 할 수 없어서 웃음으로 그의 반가움에 대답했다.

'내가 구매해야 하는 것을 적어 두었는데…' 드리머는 목걸이를 작동시켜서 구매해야 하는 재료들을 적은 것을 보았다. '천하고 숟가락과 젓가락…' 그는 목걸이를 보면서 진열대를 보았고 다른 물건들을 담을 수 있도록 천을 먼저 들어서 안에다가 다른 것들을 담았다.

재료들을 담은 천의 중심부가 무게를 버티지 못하고 점점 내려가서 드리머가 천을 드는 것에 힘이 들어갔다. '이걸 집으로 들고 갈 수 있을까?' 그는 힘이 점점 빠져서 걱정이 되었다. '이걸 잘 들고 갈 수 있겠지? 부모님을 불러야 하나?'

"오늘은 물건이 제법 많구나."

"네. 이번에 들어간 꿈의 세계에서 필요한 것들이에요!"

"그렇구나. 이걸 들고 가기에는 힘들 거 같은데, 괜찮겠니?"

신령수는 드리머가 그것들을 힘들게 들고 있는 것을 보았었다.

드리머는 손사래를 치며 아니라는 것을 알렸다.

신령수는 결제를 마치고 재료들을 천 안에다가 넣은 뒤에 망가지거나 찢어지지 않게 묶어서 드리머에게 주었다.

드리머가 천을 들었지만, 아직도 그가 들기에는 불편함이 없지 않아서 신령수는 그가 잘 들 수 있도록 도와주었다.

도움을 받은 드리머는 힘이 들긴 했지만, 그가 구매한 물건들을 편하게 들고 갈 수 있었다.

"무겁겠다!" 어머니가 드리머에게 와서 그가 들고 있던 물건들을 들면서 말했다. "이건 방에다가 놓을 테니, 가서 밥을 먹으렴."

드리머는 손을 씻고서 이미 저녁을 먹고 있는 아버지와 류인태와 같이 밥을 먹었다.

재료들을 방에 두고 온 어머니가 의자에 앉으면서 드리머에게 물었다. "그런데 오늘 구매한 것들은 어떤 것들이니?" 그녀는 학용품 가게에 갔다가 오는 동안 심심했을 그를 위해 질문을 던졌다.

"마션과 공연을 하는 게, 이번 숙제예요." 배가 고팠던 드리머가 숟가락으로 밥을 뜨면서 말했다. "거기에 필요한 도구를 만들어야 하는데, 그 재료들을 구매했어요!"

"그랬구나. 그래서 다양하게 구매한 거였구나."

어머니와 드리머의 대화를 시작으로 아버지와 류인태도 대화에 끼면서 즐거운 저녁 시간이 되었다.

드리머는 천을 이불을 개었을 때처럼 만들었다. '이불은 개었을 때 이 상태로 될 거니까, 천이 펼쳐지면서 베개가 나오려면 천을 뚫거나 천 속에다가 넣었다가 꺼내는 건데, 천 속에 넣는 것은 모두가 예상할 수 있어서 덜 신기할 거 같아.' 그는 천에 구멍을 뚫는 것으로 정했지만, 바로 구멍을 뚫지 않고 베개가 나올 수 있는 방법을 정한 뒤에 뚫기로 했다.

류인태는 도구를 만들지 않고 마션에 관한 영상을 주로 보았다.

드리머는 베개를 천에다가 숨기기도 하고 넣기도 하면서 고민했다. '베개를 안쪽에 넣으면 천이 부풀어서 안에 뭐가 있다는 것을 알 수 있을 거 같아.' 그는 천을 펼치고서 베개를 두었고 천을 개었다. 베개가 있어서 천을 개는 것은 생각보다 쉽지 않았고 자연스럽지 않아서 자연스러울 때까지 시도했다.

'이거 되는 건가? 다른 방법을 찾아야 할까?' 드리머는 천과 베개가 애매하게 되어 있는 상태를 보고 한숨을 내쉬었다. "후우…"

"이불과 베개를 이용한 공연을 할 거니?"

영상을 다 보고 온 류인태가 물었다.

"응. 그런데 뭐가 괜찮은지 모르겠어."

"내가 도와줄까?" 류인태가 천을 들추면서 말했다. "내가 봤을 때는 다른 곳에 넣는 게 좋을 거 같아서…"

"도와줄 수 있어? 그러면 어떻게 하면 될까?"

드리머는 류인태의 도움을 받기로 했다.

류인태는 드리머가 생각했던 안쪽이 아닌 다른 안쪽에다가 넣는 방법으로 천을 개었을 때, 맨 위쪽 안에다가 베개를 넣는 것을 제안했다.

드리머는 생각하지 못했던 방법에 신기해하면서 그럴 수도 있다는 것을 깨달았다.

류인태가 천을 잘라서 안쪽에 솜을 넣고 베개가 맨 위쪽으로 오도록 설치했고 천 안쪽에 솜을 넣었다는 것을 들키지 않게 베개의 아래쪽 부분보다 조금 더 아래쪽 부분을 꿰매었다.

드리머는 침대에서 살짝 떨어진 곳에서 류인태가 어떻게 연출을 하는지 구경하기로 했다. 류인태는 그에게 어떻게 연출을 할지 알려 준 뒤에 방에서 나갔다. 그는 류인태가 말한 연출을 어떻게 할지 정말로 궁금했다.

똑. 똑. 류인태가 방문을 두드리면서 시작한다는 것을 알렸다.

'오! 이제 시작하나 보다.'

드리머는 방문을 두드리는 소리를 들었더니, 두근거리면서 긴장했다.

류인태는 피곤하다는 듯한 몸짓을 하면서 방 안으로 들어왔고 평소대로 옷을 갈아입으러 옷장 앞으로 갔다.

'옷을 갈아입는 것을 연출하는 건가? 말을 안 했던 것 같은데…' 드리머는 류인태가 옷을 어떻게 갈아입을지 궁금했다. '그런데 옷을 어떻게 갈아입으려는 거지?'

류인태가 입고 있는 옷을 벗었는데, 안쪽에 잠옷이 있었다.

'와아. 저렇게도 표현할 수 있구나!'

드리머는 굳이 옷을 벗었다가 입지 않아도 된다는 것에 머리가 멍해졌다.

옷을 갈아입은 류인태는 하품을 하면서 방 밖으로 나갔다가 양치를 하면서 들어왔다.

'응? 양치를 하는데, 치약을 사용하지 않았네.'

드리머는 칫솔에 치약이 묻지 않아서 왜 그런지 궁금했지만, 류인태가 끝내지 않아서 끝날 때까지 기다렸다.

류인태는 침대 위에 앉았고 졸린 표정으로 양치를 하다가 밖으로 다시 나갔다. 그가 다시 들어왔을 때, 그의 손에는 아무것도 없었고 기지개를 크게 편 뒤에 천과 베개를 잡고서 천을 가리면서 섰다.

드리머는 베개가 안 보여서 앉은 자리에서 고개만 움직이며 베개를 찾아보았지만, 베개는 보이지 않았다.

류인태가 손짓을 하자 베개가 나타났고 천이 펼쳐졌다.

'와! 이렇게 연출을 할 수 있구나!'

드리머는 류인태가 말한 연출을 인상 깊게 보았다.

류인태는 마무리로 천을 살짝 들어 올린 뒤에 안쪽으로 들어갔고 누워서 베개를 베었다.

드리머는 류인태의 연출이 끝나서 박수를 치면서 감탄했다.

"와아! 정말 대단해! 인태, 정말 잘한다."

류인태는 뿌듯한 표정으로 침대에서 일어났다. "이건 이렇게 하면 될 거 같고 정말 괜찮은 주제인 거 같아." 그는 드리머에게 잘해 보라고 손짓을 하고서 정말로 양치를 하러 갔다.

'이불과 베개는 이렇게 하면 될 거 같아. … 이제 숟가락과 젓가락을 이용한 연출을 해야 하는데, 어떻게 연출을 하면 되지?'

드리머는 새로운 연출을 만들어야 한다는 것이 약간 막막했지만, 류인태가 보여 준 것을 참고하면서 힘을 내 보기로 했다.

숟가락과 젓가락을 사용할 때마다 항상 그릇이 있었는데, 없으니까 휑해 보였다.

드리머는 숟가락과 젓가락만 사용해서 하는 것은 별로 인 것 같아서 다른 재료들을 찾다가 종이와 필기도구가 보였다. '저거는 괜찮을 거 같은데?' 그는 종이와 필기도구를 가지고 침대 위로 갔다. '이걸 어떻게 연출하면 좋을까…' 그는 필기도구를 들고 고민을 하면서 다시 책상으로 갔다.

책상으로 가서 필기도구로 종이에 뭔가를 그리려고 했는데, 종이를 두고 왔다는 것을 알게 된 드리머가 침대 위에 있는 종이를 가져오려고 했다가 멀리에 있는 종이를 가져올 수 있으면 좋을 거 같다는 생각이 들었다. '어? 이거다!' 그는 필기도구를 들고 있는 상태에서 종이가 올 수 있도록 종이에 실을 붙였고 실을 놓치지 않도록 잘 잡아서 책상으로 갔다. '이제 당겨 볼까?' 그는 힘을 주어서 실을 확 잡아당겼다.

휙. 실을 잡아당겼는데, 종이는 오지 않고 실만 당겨져서 왔다.

'응? 왜 실만 온 거지? 종이는?' 드리머가 침대 위에 있는 종이를 확인했는데, 깔끔하게 실만 빠져서 나온 상태였다. '실을 고정하는 게 어려운 건가?' 그는 실을 전보다 더 잘 붙인 뒤에 다시 책상으로 갔다. '이제 괜찮겠지?'

드리머는 줄을 전처럼 확 잡아당겼다. 펄럭. 침대 위에 있던 종이는 요란하게 움직이면서 그가 있는 곳까지 왔다.

"실을 이용하는 거면 투명한 실이나 줄을 사용하는 게 좋아."

양치를 마치고 이불 위에 앉은 류인태가 드리머에게 말하고서 베개를 베고 눈을 감았다.

류인태가 잠을 자려고 해서 드리머는 필기도구와 종이를 이용해서 하는 연출을 기획하는 것은 마치고 천을 침대 위쪽에 따로 두고서 불을 껐다. 벽에 기댄 그는 목걸이를 이용해서 투명한 실이나 줄을 찾아보았다. '투명한 실이나 줄은 없는 거 같은데? 그 대신 얇은 것을 사용하나 보다.' 그는 다음날 구매해야 하는 것을 목걸이에 적은 뒤에 잠을 잤다.

'내가 필요한 게 투명한 실이나 줄인데, 여기에는 없는 거 같은데?' 필요한 재료를 찾던 드리머가 신령수에게 가서 물었다. "혹시 여기에는 투명한 실이나 줄은 없나요? 아니면 얇은 줄이라도…"

"여기에는 없지. 그런 걸 찾으려면 다른 곳으로 가야 할 것 같은데?"

"다른 곳이요?" 드리머는 약간 실망한 채로 학용품 가게에서 나갔다. '전에 갔었던 실생활 용품 가게로 가야 하나?' 그가 실생활 용품 가게로 가다가 처음 보는 물건을 보았다. '저건 뭐지?' 그가 본 것은 누군가가 무언가를 아슬아슬하게 타고 있는 모습이었다.

"조심해!" 뭔가를 타고 있는 사람이 드리머의 옆을 아슬아슬하게 지나가면서 외쳤다. "미안해!"

'뭐지?' 드리머는 위험하게 타는 이유가 궁금하면서도 신기했다. '위험하기는 하지만, 저렇게 가면 정말 빠르겠다.' 그는 신기한 것을 봐서 좋았다.

스윽. 스윽. 실생활 용품 가게 주인인 해보하가 가게 앞을 쓸고 있었다.

드리머는 실생활 용품 가게가 맞는지 간판을 확인했다.

'여기가 실생활 용품 가게가 맞는 거지?'

해보하가 드리머에게 손을 흔들었다.

"뭐가 필요한 거니?"

드리머가 고개를 끄덕였고 해보하와 함께 가게 안으로 들어갔다.

"필요한 게 있는지 한번 확인해 보렴."

실생활 용품 가게는 학용품 가게와는 전혀 다른 분위기였다. 편하게 대화를 나누고 이것저것을 들고 보며 괜찮은지 확인할 수 있었다.

드리머는 줄과 실이 있는 곳으로 가서 확인했다. '이게 얇은 건가? 이게 그나마 투명한가?' 그는 줄과 실을 들면서 신중하게 비교했다.

"뭐가 필요한 거니?"

해보하가 허리를 숙이며 드리머에게 물었다.

"아, 네. 얇은 실이나 줄을 찾고 있어요. … 아니면 투명한 실이 필요해요."

"투명한 실?" 해보하는 드리머의 생각이 귀여워서 웃음이 나왔다. "투명한 실이 있더라도 그걸 구매하면 잘 잃어버릴 거 같은데?"

"아, 그러네요." 드리머가 쑥스러운지 그의 얼굴이 붉어졌다. "그러면 얇은 실이나 줄이 있나요?"

"얇은 줄이나 실은 여기에 있단다. 옷이나 뭘 꿰매려고 하니?"

"아니요. 공연에 사용할 건데, 다른 사람들에게 잘 안 보이도록 해야 해서요."

"공연? 잠깐만 기다리렴."

해보하는 공연이라는 말에 놀라지 않고 창고로 들어갔다.

드리머는 얇은 실을 가지고 계산대 앞으로 갔다.

창고에서 어떤 실 뭉치를 가지고 나온 해보하는 드리머가 있던 자리로 갔다. "어? 어디로 갔지?" 그녀는 주변을 둘러보다가 계산대를 보았다. "여기에 있었구나! 이건 어떠니?"

드리머는 해보하가 준 실을 보았다. 그 실 뭉치는 그가 들고 있던 실 뭉치보다 더 잘 보였다.

"이건 너무 잘 보이는 거 같아요."

해보하는 드리머에게 주었던 실 뭉치를 가져와서 실을 잡아당겼다. 그녀가 잡아당긴 실은 거의 보이지 않았다.

"이게 잘 안 보여서 안쪽에 있는 심의 색이 보이는 거란다."

드리머는 그게 가장 잘 안 보이는 실인 거 같아서 기뻐했다.

"그런데 이건 왜 진열대에 없는 건가요?"

"그건 사람들이 많이 사용하지 않는단다. 그건 특별한 경우에만 사용하는 실이니까."

드리머는 평상시를 생각해 보았다.

'그러고 보니, 나도 평상시에는 이런 실을 사용하지 않았었어. 심지어 이런 실이 있는지도 몰랐지.'

해보하는 드리머를 배웅하고서 다시 가게 앞을 쓸었다.

드리머는 얇은 실을 보았다. '이게 정말 잘 안 보이는 거겠지?' 그는 얇은 실이 있다는 게 신기했지만, 가장 중요한 것은 공연할 때 사용할 수 있는 유무였다. '이게 도움이 됐으면 좋겠다.' 얇은 실을 양손으로 꼭 잡은 그는 절실한 마음을 실에다가 담았다.

"와! 그 실은 어디에서 구한 거니?"

류인태는 드리머가 들고 있는 실에 관심을 보였다.

"이거 실생활 용품 가게에서 구매했어."

"그런 걸 본 적이 없었는데, 신기하다." 류인태는 실을 들고 보았다. "이런 실이면 공연에 정말 유용하게 사용할 수 있겠다."

드리머는 류인태가 긍정적이고 크게 반응해서 기분이 좋았고 공연에 도움이 될 것 같다고 느꼈다. '이거면 충분할 거 같아.' 그는 그것을 바로 확인해 보려고 종이에다가 연결했다. '오. 정말 안 보이는데? 나도 잘 안 보일 정도니까…' 그는 실을 잃어버리지 않도록 손가락에 약하게 묶었다. '이러면 잃어버리지 않을 거야.'

드리머와 류인태는 공연에서 하려는 것을 각자 연습했다.

"얘들아 밥을 먹어야 하지 않니?"

드리머의 방문 너머로 어머니의 물음이 들렸다.

"밥을 먹어야 하는 시간이구나!"

류인태가 시간을 확인하더니 들고 있는 도구들을 내려놓고 밖으로 나갔고 드리머도 밥을 먹으러 갔다.

펄럭. 드리머의 손가락에 묶인 실과 연결된 종이가 그를 따라 계단을 내려갔다.

"드리머, 뒤에 그건 뭐니?"

어머니가 검지로 드리머의 뒤를 쫓아오는 종이를 가리키며 물었다.

드리머는 고개를 돌려서 뒤를 보았다. "아! 이건 내가 공연할 때

하려는 것을 연습하고 있었어요." 그가 손가락에 묶은 실을 풀면서 말했다. "내가 이 실을 묶은 것을 잊고 있었어요. 다시 두고 올게요!" 그는 귀찮았지만, 종이와 실을 방에다가 두러 갔다.

"드리머가 열심히 하는 거 같네. 어떤 거 같니?"

어머니가 류인태의 머리를 정리해 주면서 물었다.

류인태는 엄지를 들어 올려서 좋게 가고 있다는 것을 알렸다. 그의 손짓을 알아차린 부모님은 드리머가 어떤 공연을 하더라도 잘할 수 있을 거라고 생각했고 궁금했다.

종이를 두고 온 드리머는 뒤늦게 밥을 먹었다.

"이제 어느 정도 너희만의 도구나 재료들이 준비된 거 같으니, 각자 사용할 수 있는 방을 주려고 해."

마션이 따라오라고 손짓하면서 문으로 향했다.

"방? 무슨 방일까?"

"음… 창고? 아니면 보관함?"

드리머와 아인이 마션이 말한 방에 대해 추측하면서 묻고 물었다.

류인태가 고개를 저으면서 마션이 말한 방에 대해 말했다.

"마션이 말한 방은 각자 연습할 수 있는 방을 말하는 거야. 우리가 같이 공연을 하지만, 각자의 기술이나 재료에 대해서는 비밀로 해야 하니까."

"으음. 그래서 모두가 기술을 안 알려 주려고 하는 거였구나!"

미리 마션에 대해 조사를 한 아인은 그들이 기술을 공개하지 않는 이유에 대해서 정확하게 알게 되었다.

'나는 아직 완성을 하지 못했는데…' 드리머는 아직 완성하지 못해서 마션에게 물어보려고 했지만, 손은 움찔하기만 하고 움직이지 않았다. '이걸 물어봐도 되나?' 그는 마션의 뒷모습만 보았는데도 눈치가 보였다.

첫 번째 방에 도착한 마션은 류인태가 그 방을 사용할 수 있도록 지정해 주었다.

"인태라고 했지? 여기는 네가 사용하면 될 거 같아."

류인태는 마션이 가리킨 방으로 들어갔다.

마션은 류인태의 방문을 닫고서 다음 방으로 갔다.

방의 크기가 어떤지는 모르지만, 다음 방까지의 거리는 별로 길지 않았다.

"여기는 아인, 네가 사용하렴."

아인은 설레는 마음으로 미소를 지으며 안으로 들어갔다.

다음은 복태현의 방이었고 마지막으로 드리머의 방이었다.

"네가 마지막이구나. 이 방을 사용하면 되고 다른 친구들의 방 안으로 들어가면 안 되고 들어가다가 걸리면… 흠… 뭐가 좋을까…" 마션은 그들이 서로의 방에 들어가지 않도록 하는 가장 좋은 방법이 무엇일지 고민했다. "아무래도 떠오르지가 않는단 말이지. 너희에게 딱 맞는 벌칙이 뭐가 있을까."

"벌칙이요? 어…"

드리머는 벌칙이라는 말에 긴장이 되었고 손에서 땀이 났다.

얼굴을 드리머의 얼굴 바로 앞까지 가져다 댄 마션은 웃고서 방을 나갔다.

'뭐지?' 드리머는 돌처럼 서 있는 상태에서 문을 보았다. '그나저나 벌칙이 뭘까?'

"잘 들리나요?"

방 위쪽에 설치된 방송 장치에서 마션의 목소리가 들렸다.

"각자 맡은 방에서 나오는 것은 상관없지만, 다른 친구의 방에 들어가는 것은 안 되니, 명심하세요. 만약 다른 방으로 가다가 걸린다면 그에 따른 벌칙이 있을 거예요."

드리머는 정확한 벌칙을 듣지 못했지만, 벌칙이 있다는 말에 걱정과 긴장이 되어서 공포에 질린 듯한 표정을 지었다. '내가 잘못

하면 어떻게 되는 거지? 벌칙… 벌칙이 뭘까?' 그는 벌칙에 대해 생각하느라 다른 일이 머리에 들어오지 않았다.

"벌칙이 뭘까?"

아이들과 걷는 드리머가 검지와 엄지로 턱을 쓸면서 물었다.

아인은 대수롭지 않다는 듯이 반응했다.

"벌칙이 뭐든 우리가 안 하면 되니까! 상관없을 거 같은데?"

"그건 맞긴 하지. 다른 방에 들어가지 말라는 것은 어디까지나 도구 때문이니까."

류인태도 아인처럼 걱정하지 않았다.

드리머는 자신만 걱정하는 건가 싶어서 복태현을 보았는데, 다른 곳을 보고 있었고 기분이 좋아 보였다. '나만 그렇게 걱정하는 건가?' 그는 혼자만 그런 생각을 하고 있는 것 같아서 속으로만 걱정했다.

"드리머, 또 걱정하는 거야?" 아인이 놀리는 듯한 표정으로 드리머를 보며 물었다. "그런 걱정을 하는 것보다 그것을 안 하는 걸로 하면 되지. 안 그래?"

드리머는 고개를 끄덕였다.

"우리는 이만 갈게!" 아인이 손을 흔들었다. "인태, 드리머 좀 잘해 줘. 저러다가 공연도 못 하겠어."

류인태는 드리머의 표정을 보고 고개를 끄덕였다.

아인과 복태현은 다른 길로 갔다.

류인태는 아인이 말한 것에 대해 생각해 보았다. '드리머가 공연을 못 할 정도로 걱정을 하고 있을까?' 그는 그녀의 말대로 큰 일이 될 수도 있을 거 같다는 느낌이 들었다.

드리머는 집에 도착해서도 침대 위에 쭈그려 앉아서 벽에 기대 있었다. 류인태가 말을 걸려고 했지만, 말을 걸지 않는 게 좋을 거 같아서 우선 혼자 두기로 했다. '드리머가 벌칙에 대해 고민을 하는 걸까? 재료나 도구에 대해 고민을 하는 걸까?' 그는 드리머가 공연에 관련된 고민을 하는 것이기를 바랐다.

드리머의 걱정은 며칠 동안 계속 되었고 연습실을 배정 받은 뒤로 걱정을 덜어 내는 것이 더 어려웠다. '처벌을 받으면 안 되는데… 내가 해야 하는 것을 빨리 완성해야 해. 내가 하려는 이불과 베개, 종이와 필기도구, 그리고… 그리고 …' 그의 걱정이 섞인 생각은 그를 불안하게 했고 그의 머릿속을 하얗게 만들었다. '다른 생각은 하지 말고 내가 해야 하는 것을 만들어야지. 안 그러면 처벌을 받겠지…'

드리머가 걱정을 하면서 있을 때, 방문 밖으로 아이들의 목소리가 들렸다.

"드리머가 아직도 안 나오지 않았니?"

아인이 걱정스러운 눈빛으로 드리머의 방문을 보았다.

"응. 아직 안 나왔지."

그동안 같은 방에서 드리머를 봐 오던 류인태가 대답했다. 그는 답답했지만, 그것을 드리머에게 들키지 않도록 방으로 돌아갔다.

아인은 드리머와 류인태의 관계가 나빠지는 것은 아닐지 걱정이 되었다. '괜찮겠지?' 그녀도 방으로 돌아가려는데, 복태현의 방에서 소란스러운 소리가 들렸다. '무슨 소리지?' 그녀는 살짝 열린 방문 틈으로 안쪽을 보려고 했지만, 마션이 말한 것을 떠올리며 그만두었다. '정말로 처벌을 받을 뻔했어. 드리머가 걱정을 하는 것이 어쩌면 옳은 것일 수도 있을 거 같아.' 그녀는 고개를 좌우로 크게 흔든 뒤에 방으로 갔다.

"밥을 먹을 시간인데, 밥을 먹으려면 우리가 처음 연습했던 곳으로 오면 돼요. 시간이 정해져 있는 것은 아니니까, 본인이 원할 때 오면 돼요."

마션의 방송이 끝나고 아인과 류인태, 복태현이 방에서 나왔다.

"방금 들어갔는데, 밥을 먹을 시간이라니!"

기지개를 펴는 아인이 좋아하면서 드리머의 방을 힐끗 보았고 류인태와 복태현은 바로 마션이 있는 방으로 향했다.

'너희는 드리머가 나오는지 안 보는 거니?'

아인은 류인태와 복태현의 행동이 맞는 것 같으면서도 섭섭했다.

"어서 오렴. 연습은 많이 했니?"

마션이 음식을 나눠 주며 물었다.

복태현은 자신 있게 고개를 끄덕였고 류인태는 평범하게 고개를 끄덕였다.

"음··· 드리머가 안 보이네?"

드리머가 없다는 것을 확인한 마션은 식탁 위에다가 숟가락과 젓가락을 놓았다.

류인태는 마션이 숟가락과 젓가락을 들고 있지 않았는데, 식탁 위에 둔 것이 신기했다. '오! 저게 드리머가 하고 싶었던 것일까?' 그는 괜찮은 마션의 기술을 드리머에게 알려 주어야겠다고 생각하며 그 기술들을 적어 놓았다.

복태현이 마션에게 그 기술에 대해 물었다. "그건 어떻게 하는 건가요?" 그는 식탁에 놓인 숟가락과 젓가락을 들어서 보았다.

마션은 웃으면서 손바닥을 쫙 폈다.

복태현이 손바닥을 쫙 펴면서 물었다.

"손바닥에 무엇을 숨기는 건가요?"

"숨기는 곳이 손바닥은 아니지. 하하!"

마션은 복태현에게 작은 실마리가 되는 것을 말하고서 밥을 먹었다.

아인과 류인태는 드리머에게 알려 주려고 작은 실마리에 대한 생각을 각자의 머릿속에 담았지만, 마션의 기술을 탐내는 복태현이 그들보다 더 주의 깊게 보았다. '내가 생각한 주제에 이 기술을 넣으려면, 밥을 먹는 장면에 넣는 게 가장 적절할 거 같네?' 그는 마션의 행동을 따라 해 보기도 했다.

드리머가 걱정에서 조금이나마 빠져나올 수 있는 시간은 그가 집으로 갈 때였다. 아인과 류인태는 그에게 마션이 했던 기술을 말해 주려고 마션에 대하여 이야기를 꺼냈다.

"오늘 우리가 마션과 함께 밥을 먹었는데, 그때 마션이 사용한 기술이 네게 유용할 거 같아."

"맞아! 나도 그 생각을 하고 있었어." 류인태가 아인의 말에 동조하며 외쳤다. "마션이 사용한 기술은 어려운 기술이지만, 그것을 다른 방법으로 할 수 있지!"

기뻐하며 열심히 말하는 아인과 류인태의 말은 걱정을 하는 드리머에게 하나의 소음일 뿐이었다.

한참을 떠들던 아인이 집으로 가기 전에 말을 끝내고 드리머를 보았다. '오늘도 드리머가 안 들었나 보네.' 그녀는 류인태와 떠들었던 것이 그에게 효과가 없다는 것을 알았지만, 실망하거나 화를 내지 않고 웃으면서 손을 흔들었다.

드리머는 힘없이 올린 손으로 아인과 복태현을 향해 흔들었다. 류인태도 그의 힘없는 행동을 보고서 그가 들을 상황이 아니라는 것을 깨달았다. '그러고 보니, 내가 아무리 이렇게 떠든다고 하더라도 드리머가 듣지 않으면 끝… 아닌가? 드리머가 그것을 볼 수 있게 해 봐야겠다. 분명, 그 기술을 보게 되면 좋은 생각들이 떠오를 거야.'

"드리머, 이리 와 볼래?"

어머니가 집에 도착한 드리머를 불렀다.

드리머의 공연 주제

드리머는 우울한 표정으로 어머니에게 갔다.

"드리머, 왜 그러니? 무슨 걱정이라도 있니?"

드리머가 고개를 끄덕이면서 걱정을 말했다. "네. 아무리 생각해도 마션이 말한 벌칙이 뭔지 모르겠어요." 그는 어깨를 축 늘어뜨렸다.

"친구들도 같은 말을 했을 거 같지만… 드리머가 열심히 하거나 그 약속만 잘 지키면 받을 일이 없을 거 같은데?" 어머니가 드리머를 안았다. "너무 걱정하지 마렴."

"나도 그렇게 생각하려고 하는데, 그렇게 되지가 않아요."

"흐음…" 어머니는 답을 알면서도 실행하지 못하는 드리머가 쉽게 실행할 수 있는 방법이 계단에서 내려오는 류인태에게 있을 것 같다고 느꼈다. '후후. 답을 말해 줘도 되겠지만, 아마 똑같이 느낄 거 같고… 답은 같이 다니는 아이들에게 있겠다.' 그녀는 드리머에게 옷을 갈아입고 오라고 방으로 보냈고 류인태에게 갔다. "인태야. 드리머가 걱정을 하느라 해야 할 일을 못 하고 있는 거 같은데, 포기하지 말아 주었으면 좋겠구나. 드리머의 걱정을 덜어 줄 사람은 너희라고 생각하거든. … 드리머가 너희의 말을 듣지 않더라도 그러려니 하고 도와주었으면 좋겠구나. 너희는 잘할 수 있을 거야."

"네. 잘할 수 있을지는 모르겠지만, 노력해 볼게요."

어머니가 류인태의 머리를 쓰다듬으면서 말했다. "너희는 지금도 잘하고 있을 거라고 믿어. 너희는 항상 서로를 응원하고 생각하니까." 그녀는 그를 데리고 부엌으로 갔다.

'모두가 나에게 약속만 잘 지키면 된다고 했어. 그런데 내가 모르고 그 약속을 못 지키면 벌칙을 받아야 하잖아. 내가 잘못한 거니까, 받는 게 맞지만… 벌칙이 뭔지 모르니까, 더 무서운걸.'

드리머는 옷을 갈아입다가도 멍하니 서 있었다.

"드리머, 이거 좀 봐 봐!" 류인태가 팔찌로 드리머에게 보여 주려고 했던 영상을 띄웠다. "이게 아까 마션이 사용한 기술을 쉽게 하는 방법인데, 괜찮지 않니?"

류인태가 보여 준 영상은 천 속에다가 숨겼던 숟가락과 젓가락을 나타나게 하는 것이었다.

드리머가 영상에 빠져들었고 그의 눈이 초롱초롱해졌다.

류인태는 드리머의 눈을 보고 뿌듯해했다. '영상을 보여 준 것은 성공적인 거 같아.' 그는 옆에서 계속 응원을 해 주었다. "드리머, 이건 네가 할 수 있어! 나도 있으니까, 같이 해결해 보자!"

드리머는 고민하던 것 중에 하나가 해결될 거 같아서 마음이 조금은 가벼워졌다.

7
어지러운 연습

류인태의 도움을 받은 덕분에 공연의 내용이 나아진 드리머는 연습을 하다가 낙심해서 한숨이 깊었다. “후우… 이게 뭔가 잘되는 것 같으면서도 안되는 거 같아.” 혼잣말을 하는 그의 머릿속이 또 복잡해질 것 같아서 고개를 들고 눈을 감았다. ‘괜찮아. 도움을 받기만 해서는 안 되고 열심히 하면 될 거야.’

드리머는 도움을 준 사람들을 떠올렸고 다시 연습을 하려고 자리에서 일어났다. ‘열심히 하자. 열심히 해서 벌칙을 받지 말아야지.’

드리머는 공연을 할 때 어떤 것을 먼저 하면서 시작하는 게 좋을지 슬슬 정하면서 다른 것을 늘리는 것이 나을 거 같았다. ‘우선 이불 안에서 베개가 나오게 하는 것을 마지막으로 하고 필기도구와 종이를 이용해서 공부를 하는 것처럼 하는 내용은 중간에 두고 처음으로는 숟가락과 젓가락이 나오게 하는 것이 낫겠다.’ 그는 그 순서대로 공연을 해 보려고 준비를 해 놓았다.

‘우선 내가 먼저 해야 하는 것은 디떠블유 센터에서 갔다가 온 상황이야.’

드리머는 공연에 필요한 연기를 시작으로 연습을 시작했다.

“으!” 가방을 메고 있는 드리머가 양팔을 위로 쭉 뻗으면서 기지개를 폈다. "오늘도 열심히 했다! 음··· 가방을 두고 올까?"

툭. 드리머는 미리 설치해 놓았던 침대 옆에 가방을 놓고서 밥을 먹는 상황으로 넘어갔다.

"오늘 저녁은 뭘까?" 평소에 저녁을 먹으러 가는 것처럼 연기를 하는 드리머는 식탁보가 깔린 식탁으로 가서 의자에 앉았다. "오! 오늘은 양념된 국인가? 숟가락과 젓가락이 없네." 그는 식탁보 위를 문지르면서 숟가락과 젓가락을 서서히 나타나게 했다. "좋아! 이제 양념된 국을 먹어 볼까?"

저녁을 다 먹고 난 뒤를 연기하는 드리머는 그릇과 숟가락과 젓가락을 식탁보 위에 놓고서 공부를 하러 가는 장면을 연기했다.

필기도구를 잡은 드리머는 종이를 찾는 연기를 하다가 잊었던 것을 기억했다는 듯한 손짓을 하더니 필기도구를 잡아당겼다. 휘릭. 종이는 생각한 곳으로 오지 않고 바닥으로 떨어졌다. '어? 이게 아닌데···' 그는 바닥에 놓인 종이를 보고 당황했고 책상 위로 올라올 수 있도록 잡아당겼지만, 종이는 올라오지 않았다. '종이가 바닥에서 나타난 것처럼 해도 되려나?' 긴가민가한 그는 종이를 주워서 책상 위로 올렸고 필기도구로 종이에다가 적는 척을 했다. '이렇게 몇 분을 하는 게 좋을까?' 그는 필기도구 끝으로 종이를 툭툭 치면서 고민했다. '너무 길어도 안 될 거 같고 너무 짧아도 안 될 거 같은데···' 그는 시간을 재는 것이 나을 거 같아서 목걸이로 시간을 잴 수 있게 했다. '내가 괜찮다고 생각했을 때의 시간을 확인해 봐야겠어.'

목걸이로 시간을 잴 수 있게 해 놓고 필기도구로 종이에 글을 적는 척을 했다. '내가 적는 척을 하는 것보다 정말 적는 게 나을 수도 있어. 그러면 적는 내용도 정해 놓자.'

드리머는 필기도구로 종이에다가 가족부터 해서 먹고 싶은 것들을 적으면서 시간을 확인했다. 그가 시간을 쟀을 때, 시간은 모두 달랐지만 비슷했다. '이 정도면 괜찮은 건가?' 그는 그게 궁금해서 목걸이에다가 적어 놓고 아이들에게 물어보기로 했다. '이건 이따가 밥을 먹는 시간이나 디떠블유 센터에서 물어보면 될 거 같고 이제 마무리!'

드리머는 공연의 마지막 상황인 베개를 베고 자는 장면으로 넘어갔다. '베개를 이불 안에다가 놓았으니까, 인태가 보여 주었던 것을 참고하면서 편하게 할 수 있도록 바꿔 보자.' 그는 류인태가 보여 주었던 것처럼 이불과 베개를 잡고서 베개를 빼는 것이 보이지 않도록 이불을 가리면서 섰다. '잘 잡은 거 같아. 이제 베개를 빼면서 이불을 펴면 되겠지?' 그가 베개를 빼면서 이불을 펼치려고 했지만, 긴장이 되었는지 베개를 빼는 동시에 이불을 펴서 베개가 이불 속으로 들어갔다. '이게 아니야.'

잠을 자는 장면이 마음에 들지 않았던 드리머는 그 장면만 반복해서 연습했다.

"이제 점심을 먹어야 하니. 각자 원하는 시간에 나오면 돼요."

마션의 방송을 들은 드리머는 아이들에게 물어볼 시간이 되어서 들뜬 마음으로 마션이 있는 방으로 갔다. "얘들아!" 그가 마션의 방으로 가서 그들을 불렀지만, 마션을 제외하고는 아무도 그곳에 있지 않았다. '아직 안 왔나?' 그는 친구들이 아직 오는 중인지 궁금해서 복도를 보았다.

복도는 드리머가 움직이지 않으면 아무 소리도 나지 않을 정도로 조용했고 아이들의 숨소리조차 들리지 않았다.

'아직도 연습하는 건가?'

드리머는 의아한 채로 마션의 방으로 들어갔다.

"어서 와서 점심 먹으렴."

빈손으로 온 마션이 식탁으로 와서 그릇이 생기게 했고 손짓을 했더니, 그릇 안에 음식이 생겼다.

'정말 신기하다. 나도 저 기술을 사용할 수 있으면 좋을 텐데…' 드리머는 저녁을 먹는 장면에 마션이 사용한 기술을 사용하면 완벽할 것 같아서 알고 싶었다. "마션… 혹시 그 기술은 어떻게 하는 건가요? 내가 하는 공연에 사용할 수 있으면 좋을 거 같아서요."

"이 기술? 기술은 어려우면서도 쉽단다."

마션은 드리머의 질문에 애매하게 대답을 하고서 어물쩍하게 넘어갔다.

'어려우면서도 쉬운 기술… 그게 무슨 뜻이지?' 드리머는 마션의 말을 이해하지 못했다. "어려우면서도 쉬운 것이 무슨 뜻인가요?"

마션이 젓가락과 숟가락을 드리머에게 건네면서 말했다.

"아직 네가 이 기술을 한 번도 사용하지 못했고 알아내지 못했다는 거지. 내가 알려 주는 것이 네게 도움이 될 수는 있지만, 네가 이 기술을 활용하거나 새로운 기술을 생각하는 것을 굳게 할 수 있지."

"간단하게 말하자면, 내가 알아내는 것이 가장 좋은 방법이라는 건가요?"

드리머가 궁금함이 가득한 눈빛으로 마션을 보며 물었다.

마션은 활짝 웃고서 연습을 하러 갔다.

'뭔지 모르겠다. 빨리 점심을 먹고 다시 연습을 하러 가야겠다.'

"혹시 너희는 공부를 몇 분 동안 하니?"

드리머가 아이들에게 물었다.

"따로 재 보지는 않아서 잘 모르겠네. … 공부하는 시간도 재?"

아인이 드리머에게 물었다.

시간을 재야 하냐는 질문에 놀란 드리머는 고개를 저었다.

"대부분 자기가 하려는 부분을 다하면 끝내지 않니?"

"나는 그렇지 않기는 해." 류인태가 아인의 물음에 대답을 하면서 드리머의 물음에 대답했다. "상황에 따라 다르기는 하지만, 길게는 몇 시간, 짧게는 몇 분만 해."

"몇 분? 정확히 몇 분 정도 하는지 재 보았니?"

"정확히 재 보지는 않았지만, 짧을 때는 30분? 정도 하는 거 같아."

'30분은 너무 긴 거 같은데…' 드리머는 예상보다 아인과 류인태가 공부를 오래 해서 공연할 때의 시간을 정하기가 어려웠다. "혹시 정말 짧게 하는 시간은 몇 분 정도 되니?"

아인과 류인태는 똑같은 질문이라고 생각돼서 드리머의 의도가 뭔지 알려 달라고 그를 보았다.

입을 움직이는 드리머가 입술에 침을 묻히면서 긴장했다는 것을 표현했다.

"드리머, 왜 시간을 계속 묻는 거니?"

"내가 공연을 할 때, 종이에다가 필기도구로 적는 장면이 있는데, 몇 분으로 하는 게 가장 적당할지 정하고 있거든. 시간을 재 봤는데, 시간이 계속 다르게 나와서 언제로 맞추는 게 좋을지 고민 중이야."

"흠… 그건 생각보다 깊은 고민인데? … 인태, 너라면 몇 분으로 할 거니?"

"내가 만약에 그 장면을 공연한다면, 길어도 2분에서 3분 정도만 할 거 같아."

"2분에서 3분? 생각보다 짧네." 드리머는 생각보다 시간이 짧아서 괜찮을지 걱정됐다. '그 장면을 2분에서 3분만 해도 괜찮은 걸까?'

"공연하는 시간이 긴 것은 한 장면에서 여러 과정을 보여 주어야 해서 길어지는 건데, 네가 말한 것은 종이에 글을 적는 장면이니까, 2분만 하더라도 충분할 텐데…"

"그런가?" 드리머는 류인태가 말한 시간을 참고해서 다시 시간을 적어 보았다. 그가 처음에 생각해서 적었던 공연의 시간은 적어도 10분 정도였는데, 6분으로 완전히 짧아졌다. '너무 짧아진 건가? … 인태가 말한 시간을 참고하면 이 정도가 돼야 하는 거 같은데…'

"드리머, 네가 시간을 정하는 게 좋을 거 같아."

아인이 드리머에게 말을 하고서 책장에서 책을 가져왔다.

'아인은 책을 읽을 때, 어떤 행동을 하지? 아인이 책을 읽는 모습을 참고하면서 책을 읽는 장면도 넣으면 시간이 충분할 거 같아.'

드리머는 필기도구와 종이를 이용한 장면에다가 책을 읽는 장면도 넣으면 괜찮을 거 같아서 아인이 책을 읽는 모습을 기록하려고 목걸이를 작동시켰다.

아인은 드리머가 그녀의 모습을 관찰하는지도 모르고 책을 읽었다.

"간식 먹으렴!"

어머니가 방문을 살짝 열어서 바닥에다가 간식을 두고서 문을 닫았다.

드리머는 간식을 가져와서 그들이 간식을 가져가는데 공평한 위치라고 생각한 그들의 정 가운데다가 간식을 놓았다.

의자에 앉아 있던 류인태는 음료수를 책상 위에 둔 뒤에 일어나서 간식을 드리머와 아인이 가져가기 편한 곳으로 옮겼다. "나만 의자에 앉아 있으니까, 내가 가져갈게. 너희가 그곳에 있으니까, 너희 근처에 두는 게 좋을 거 같아." 그가 간식을 가져가면서 말했다.

아인은 간식을 집기 전에 손을 닦을 만한 것이 있는지 보았다. "여기에 손을 닦을 만한 것이 없네." 그녀는 손을 닦을 만한 것을 찾다가 물휴지를 발견했다. "이걸로 닦아도 되는 거지?"

드리머는 사용해도 된다고 고개를 끄덕였다.

아인은 미리 물휴지를 한 장 꺼내서 옆에다가 두었고 간식을 먹고 나서 물휴지에다가 손가락을 닦은 뒤에 옷에다가 물기를 닦았다.

'아인은 책을 볼 때, 물휴지를 사용한 다음에 옷에다가 물기를 닦아. 그건 책에 물이 묻을까 봐 그런 거겠지?' 드리머는 아인의 행동을 분석하면서 공연에 사용할 장면을 상상해 보았다. '우선 필기도구로 종이를 책상 위까지 올린 뒤에 종이에다가 글씨를 적고 나서 간식을 먹으면서 책을 보는 거지. 간식을 먹은 손을 닦기 위해 물휴지를 사용해야 해.' 그가 책을 보는 장면을 상상해 보았는데, 새로운 물건들이 많이 필요했다. '그런데 그것들을 어떻게 표현해야 할까?' 상상하면서 웃던 그의 미소가 사라졌다.

'이걸 어떻게 표현할까?' 드리머는 책을 펼쳤다가 덮는 것을 반복했다. '책을 보고 신기하다고 느끼게 하려면 어떤 기술을 사용하는 게 좋지?'

스스로 움직이지 못하는 책은 드리머가 움직이는 대로 움직일 수밖에 없었다. 그는 머리를 흔들면서 책을 책상 위에 던지듯이 두었고 고개를 뒤로 젖혔다. '책이 스스로 움직이면 좋겠는데…' 스스로 움직이는 책이 그의 머릿속을 스치더니, 자석이 생각났다. '자동으로 움직이게 할 수 있는 것으로 자석을 이용해도 되겠다!' 그는 전에 구매했던 자석을 어디에 두었는지 몰라서 급하게 찾아보았다.

잠깐 밖에 나갔다가 들어온 류인태의 시야로 서랍과 책상, 옷장, 침대 등 여러 곳을 보느라 바쁜 드리머의 모습이 들어왔다. '또 뭘 찾는 건가?' 그는 드리머의 뒤로 조용히 가서 놀라게 하려고 했다. '드리머가 알아차렸을라나?' 그는 소리 없이 웃으면서 드리머의 반응을 기대했다.

'음… 여기에다가 두었던 거 같은데?' 드리머는 서랍에 두었던 것 같았는데, 보이지 않아서 자석을 둘 만한 곳을 생각하면서 일어났다. 그가 일어나면서 팔꿈치에 뭔가가 닿는 듯한 느낌이 들어서 뒤로 돌았다가 류인태를 발견하고서 뒤로 자빠졌다. "으… 아야…"

"미안. 놀라게 하려고 한 건데, 뒤로 자빠질 줄은 몰랐네." 류인태가 드리머를 일으키면서 물었다. "괜찮아?"

류인태의 도움을 받고 일어난 드리머가 옷을 털면서 대답했다. "응. 괜찮아." 그는 침대로 가서 앉았다. "혹시 자석 못 봤니?"

"자석?" 류인태는 자석을 어디선가 본 거 같아서 곰곰이 생각했다. "음… 전에 네가 종이였나? 천이었나? … 그때 마지막으로 봤던 거 같은데?"

"아! 고마워!" 드리머는 류인태가 말한 것을 듣고 의심이 가는 곳이 떠올랐다. '여기에 있어야 하는데…' 베개가 있는 곳으로 간 그는 벽 쪽에 살짝 틈이 있는 곳을 보았다.

자석은 벽과 침대 사이에 위치한 침대 틀 위에 있었다.

드리머는 좁은 틈에 손을 넣어서 자석을 꺼내려고 했다.

'손이 많이 끼는데, 자석을 꺼낼 수 있겠지?' 드리머는 잘 벌어지지도 않는 검지와 중지로 자석을 잡았다. '자석을 잡기는 했다.' 그가 자석을 잡아서 들어 올리려고 했지만, 손가락 힘으로는 자석을 들어 올리는 것이 어려웠다. '안 돼! 절반까지 왔는데, 놓쳤어.' 그는 다시 자석을 들어 올리려고 틈에다가 손을 넣었다.

드리머가 틈으로 떨어진 자석을 줍는 모습이 답답했던 류인태가 나오라고 했다.

"드리머, 잠깐 나와 봐."

드리머는 틈에서 손을 빼고서 침대에서 일어났다.

류인태는 침대 밑쪽으로 가서 침대를 당겼다. "읏챠!"

드리머는 류인태가 침대를 당겨서 자석을 빼려는 것을 알아차렸다. '침대를 당겨서 자석을 빼내려고 하는 거구나!' 그는 침대가 당겨지는지 보려고 자석이 있는 부분을 보았다.
"드리머, 나 좀 도와줘."
침대를 힘껏 당기고 있는 류인태가 드리머에게 말했다.
"알겠어!" 드리머는 류인태가 있는 곳으로 가서 그가 잡지 않은 곳을 잡아서 당겼다. "읏차!"
침대는 드리머와 류인태가 힘껏 당겨야지 당겨졌다.
침대를 당기고 드리머와 류인태는 손을 놓았다.
"후우!" 류인태는 힘을 많이 주느라 고생했던 손과 팔을 풀었다. "침대가 생각보다 무겁네. 내가 당길 수 있을 줄 알았는데, 아니네."
"나도 힘을 꽉 주어서 당겨진 걸 보면, 확실히 무거운 거 같아."
드리머는 자석을 빼낼 수 있다는 생각에 기뻐하며 자석이 있는 곳으로 갔다.
침대 틀 위에 있던 자석은 바닥에 떨어져 있었다. 드리머는 바닥에 떨어진 자석을 주웠고 다시 침대를 벽 쪽에 붙이려고 밀었다. 그가 몸을 침대에 기대고 발끝에 힘을 주며 침대를 밀어서 벽에 붙였다. '벽에 딱 달라붙었나?' 그는 자석이나 물건이 틈으로 떨어지지 않도록 최대한 붙이려고 했지만, 틈의 넓이는 딱 달라붙게 밀기 전과 같았다. '더 붙지는 않나 보다.' 그는 더 이상 붙지 않는 것 같아서 놔두기로 하고 자석을 가지고 책이 있는 책상으로 갔다.
드리머가 책에 자석을 붙이려고 했지만, 끈적이를 책에다가 붙였다가는 책이 지저분해질 거 같아서 수첩을 꺼냈고 두 장의 종이를 뜯은 뒤에 그곳에다가 자석을 각각 붙였다. '이러면 붙겠지?' 그는 자성이 느껴지지 않는 거리를 재서 책상 위에 올려놓았다.
자석이 붙은 종이 두 장은 가만히 있는 듯했지만, 시간이 갈수록 점점 움직임이 보이기 시작했다.
'종이가 움직이기 시작했어!'

드리머는 종이가 움직이는 것을 보아서 신났다.

종이가 격하게 움직이더니, 자석의 끝부분끼리 닿을 수 있게 방향을 틀어서 점점 움직이다가 마지막에 크게 움직였다.

“오! 인태! 내가 생각한 걸 만들 수 있을 거 같아!”

신난 드리머가 이불 위에 앉아 있는 류인태를 보며 외쳤다.

류인태는 드리머가 신이 날 정도로 만든 것이 무엇인지 확인해 보았다.

“이건 종이에다가 자석을 붙인 거 아니야?”

“맞아! 종이에다가 자석을 붙인 거야! 이걸로 내가 만들려는 것이 있거든.”

“그래? 어떤 거야?” 류인태는 종이 두 장과 두 개의 자석으로 실험한 것이 무엇을 만들려는 것인지 궁금했다. “종이끼리 자동으로 붙게 하려는 거니?”

“그런 거라고 보면 되는데, 이것보다 더 큰 거야!”

들뜬 드리머는 활짝 웃었다.

“더 큰 거라고? 종이보다 큰 거라면 수첩이나 공책, 책인 거 같은데?”

“맞아! 바로… 책이야!”

“어? 책?” 류인태는 추측해서 말한 것 중에서도 가장 두꺼운 책이라는 드리머의 답변을 잘못 들은 것인지 의심했다. “책상 위에 있는 그런 책?”

드리머는 미소를 유지하며 고개가 빠지도록 끄덕였다.

류인태는 자석으로 책을 만들 수 있을지 의문을 가지면서 드리머가 해낼지는 모르겠지만, 우선 응원해 주었다.

“어떤 책이 될지는 모르겠지만, 한번 잘해 봐! 자석으로 만든 책이면 편하기는 하겠다.”

드리머는 자신이 생각한 의도를 류인태가 말해서 뿌듯해하며 그가 맞았다는 것으로 검지를 좌우로 흔들고 책상으로 갔다.

'여러 장을 만들려면 자석이 더 필요하겠다.'

드리머는 아직 한참 모자란 자석에 더 이상 진행할 수는 없을 거 같아서 자석을 구매하기로 했고 이왕 구매하는 김에 자석 책에 어울릴 만한 자석이 뭐가 있을지 목걸이로 검색해 보기로 했다.

'자석…… 공처럼 둥근 모양, 지금 내가 가지고 있는 모양, 일자로 된 모양… 더 있네?'

드리머가 다양한 모양의 자석을 보았지만, 실제로 어떻게 생겼는지 몰라서 종이를 들고 파는 곳에서 직접 해 보는 것으로 계획을 세웠다.

'학용품 가게로 가면 구할 수 있을까? 아니면 실생활 용품 가게로 가야 할까? 음… 둘 다 가 보면 되겠다.'

종이를 보면서 자석이 보이지 않는 방법을 고민하는 드리머가 계단을 내려가다가 발을 헛디뎌서 넘어질 뻔했다.

"드리머, 조심해야 해. 계단에서 넘어지면 크게 다칠 수 있어."

부엌에 있다가 큰 소리를 듣고 계단으로 온 어머니가 넘어질 뻔한 드리머를 보고 주의를 주었다.

계단 난간을 잡고 있는 드리머는 어머니의 주의를 듣고 천천히 일어났다. '발목에서 약간의 통증이 느껴지는 거 같은데…' 그는 발목에서 불편한 느낌이 들어서 발목을 돌리며 발목을 풀었다.

드리머가 발목을 풀어 보았지만, 나아지는 것 같다는 느낌이 들지 않았고 발목 안에서 작은 것이 걸리는 듯한 느낌이 들었다.

'의료실에 가야 하나?'

드리머는 발목이 거슬렸지만, 잘 모르겠어서 우선 디떠블유 센터에 가려고 종이를 잊지 않고 챙겼고 현관문으로 가서 류인태를 기다렸다.

어머니는 드리머가 자꾸 밑을 보아서 그가 보는 곳을 보았다.

"드리머, 밑에 뭐가 있니?"

드리머는 어머니에게 사실대로 말하지 않는 것이 좋을 것 같다는 생각에 아무것도 없다고 고개를 저었다.

"그래?" 어머니는 석연치 않았지만, 드리머가 아무 일도 아니라고 해서 넘어갔다.

류인태가 급하게 내려오고 드리머네 가족은 집을 나섰다.

집을 나선 드리머는 길을 걷는 데도 발목이 거슬렸다.

'잘못되는 건 아니겠지?'

드리머의 대답에 석연치 않아 하던 어머니가 드리머에게 다시 물었다. "드리머, 뭐가 불편하니?" 그가 계속해서 발목 쪽을 봐서 그녀도 그의 발목을 보았지만, 양말을 신고 있어서 발목이 자세하게 보이지 않았다.

드리머는 어색하게 고개를 올리면서 아무 일도 아닌 것처럼 연기했다.

'발목을 삐끗한 거 같은데… 의료실에 가는 게 좋을 텐데…'

드리머가 발목을 불편해한다는 것을 느낀 어머니의 걱정이 커졌다.

엘그프 3단계에 도착하자, 어머니가 드리머에게 물었다.

"의료실에 가는 게 낫지 않겠니?"

"의료실이요?" 드리머는 어머니에게 들킨 것 같아서 뜨끔했다. "갑자기 의료실에는 왜…" 그가 당황해서 목소리의 끝이 흐려졌다.

"발목이 불편한 거 같은데?"

자리에 쭈그려 앉은 어머니가 드리머의 발목을 확인하면서 물었다.

드리머는 어머니가 정확하게 알고 있어서 마음은 놀랐지만, 고개를 저으면서 머리와 마음이 따로 움직였다.

어머니는 강제로 데려가거나 다시 묻지 않고 드리머와 류인태에게 어서 들어가라고 손짓했다.

드리머와 류인태는 인사를 하고서 안으로 들어갔다.

류인태가 드리머와 자리로 가면서 물었다.

"발목이 안 좋아?"

"아니야. 괜찮아."

드리머는 어머니에게서 잘 넘어갔었기에 류인태에게서도 잘 넘어갈 수 있었다.

드리머가 연습실에서 공연 연습을 하는데, 발목 때문에 집중이 깨졌다. '발목이 아픈 건지 아닌지를 모르겠어.' 그는 발목을 다시 풀어 보려고 소파에 앉았다. '으… 으… 이 알 수 없는 기분은 뭘까?' 그는 발목을 풀면서도 아프지도 않고 거슬리는 정도의 느낌을 어떻게 설명해야 할지 몰라서 알 수 없는 기분이 들었다.

"드리머는 안 오나?"

점심을 먹는 아인이 문을 보았다.

류인태는 아침에 드리머가 발목을 보던 것이 떠올라서 그에게 물어보려고 점심을 먹다가 말았다.

"어디가?"

"잠깐 드리머에게 갔다가 오려고…"

아인은 뒤도 돌아보지 않는 류인태를 보고 드리머에게 무슨 문제가 생긴 건가 싶었다.

똑. 똑. 류인태가 드리머의 방문을 두드렸다. "드리머? 괜찮은 거야?"

드리머가 문을 열고 류인태를 보았다.

류인태는 드리머가 연습하는 것을 알 수 없도록 방 내부는 확인하지 않고 그의 발목을 바로 보았다.

"점심, 먹어야 하지?"

"맞아. 네가 안 와서 발목에 이상이 생긴 건지 궁금해서 와 봤어."

류인태는 드리머에게 움직여 보라고 하고서 그가 잘 움직일 수 있는지 보았다.

드리머는 잘 걷고 뛰는 것도 괜찮았지만, 그의 발걸음이 평소와 다르게 어색했고 약간 불편해 보였다.

"문제가 있는 거 아닌가?"

류인태가 드리머의 부자연스러운 발걸음을 보며 물었다.

드리머는 잘 모르겠다는 몸짓을 했다.

"이상이 있는 거지. 잠깐만 기다려."

점심을 먹다가 드리머와 류인태의 대화 소리에 복도로 나온 아인이 드리머의 발걸음을 보고 그녀의 방으로 들어갔다.

'많이 심각한 건가?' 드리머는 아인이 치료를 할 수 있다는 것을 깨닫는 동시에 걱정이 되었다. '이대로라면 연습을 할 수 없을 거 같은데…'

방에서 파스를 가지고 나온 아인이 몸을 낮추었다.

"드리머, 잠깐 다리 좀 뻗어 볼래?"

드리머는 중심을 잡으면서 다리를 뻗었다.

드리머의 양말을 살짝 내린 아인은 그의 발목을 움직이면서 상태를 파악했다.

"아프면 말해야 해. 어디가 어떻게 아픈지 알면 더 좋고…"

드리머는 아인이 발목을 이리저리 움직이는 동안 거슬리는 곳이 있으면 바로 말을 했다. "아… 거기가 살짝 거슬리는데… 어… 거기도…" 그는 그녀가 발목을 크게 돌려도 아프다는 느낌은 들지 않았다.

아인은 드리머의 발목 상태가 나쁜 것은 아니어서 굳이 의료실까지 갈 필요는 없을 거 같다고 판단했다. "드리머, 혹시라도 발목에서 거슬리는 느낌이 계속해서 든다면 의료실에 가 봐." 그녀는 그의 발목에다가 파스를 붙여 주고 떨어지지 않도록 문지른 다음에 양말을 올려 주었다. "됐다! 이제 발목이 시원해질 거야."

고개를 숙여서 아인을 보던 드리머가 발목을 보면서 말했다.

"고마워. 발목이 조금 차갑기는 한데, 특수한 파스보다는 나은 거 같아."

아인이 엔타와 있었던 일에 웃으면서 조용히 드리머의 귀에다가 속삭였다. "드리머, 그런 이야기는 조심해서 말해야 해." 그녀는 웃으면서 점심을 먹으러 갔다.

류인태가 아인이 드리머에게 뭐라고 했는지 물었다.

"드리머, 아인이 뭐라고 했어? 의료실이라도 가 보래? … 웃는 걸 봐서는 그런 거 같지는 않은데…"

"그런 거 아니야. 다른 일이 있었어."

드리머는 류인태에게 말을 할 수 없었기에 점심을 먹으러 가면서 그 주제에서 벗어났다.

마션은 드리머에게 점심을 주고 그들과 함께 점심을 먹었다.

"너희의 대화를 들어 보니, 드리머의 발목이 안 좋은 거 같다고 한 거 같은데…"

"잠깐 발목을 삐끗한 거 같아서 파스를 붙여 줬어요. 시간이 지나 봐야 알 것 같아요."

아인은 설명을 하면서 입안으로 음식을 넣었다.

마션은 아인이 어떤 공연을 할지 알고 있었고 그녀가 어떤 공부를 하고 어디에 관심이 있는지 알았기에 그녀의 설명이 옳다고 생각해서 더 이상 묻지 않았다.

점심을 먹고 연습실로 온 드리머는 바지를 올려서 발목을 확인했다. '아까 아인이 붙여 준 파스의 효과가 좋은 거 같아.' 그는 발목에 통증이나 거슬림이 있는지 손가락으로 파스를 눌렀다. 파스의 시원함은 사라졌지만, 그의 발목에서 느껴졌던 거슬림은 느껴지지 않았다. 발목에 거슬림이 완전히 사라진 것에 기뻐하는 그는 자연스러운 걸음으로 연습을 진행했다.

드리머는 연습을 하다가 종이를 발견했다. '맞다! 오늘 자석을 구매해야 하지?' 그는 발목에 정신이 팔려 있어서 중요한 자석을

잊을 뻔했다. '오늘 집으로 가면서 꼭 자석을 구매해야 하니까, 잊으면 안 되는데…'

집으로 가면서도 드리머의 발목에 대한 질문이 이어졌고 그는 그것을 대답하다가 자석을 잊을 뻔했다.

"내가 구매해야 하는 게 있어서 가 봐야 할 것 같아."

드리머가 걷다가 중간에 서서 아이들에게 말했다.

아인은 드리머와 같이 가려고 했다.

"그러면 내가 같이 가 줄게."

"아니야! 내가 공연에 사용할 물건을 구매하러 가는 것이어서 혼자 가야 할 것 같아."

아인은 드리머의 사정을 이해했고 마션이 공연에 관련된 것은 최대한 피하라고 해서 따로 가는 게 맞는다고 생각했다.

드리머가 아침에 챙겼던 종이 두 장을 찾으려고 주머니를 뒤지는데, 종이는 사라지고 없었다. 사라진 종이에 당황한 그는 길을 걸으면서 종이가 떨어진 건 아닌지 길바닥을 확인했다.

아인이 드리머에게 무엇을 찾는지 물으면서 가방을 확인했다.

"뭐가 필요해?"

드리머가 정신없이 두리번거리면서 말을 더듬었다. "어… 그… 저…" 그는 계속 말만 더듬으면서 대답을 제대로 하지 않았다.

"드리머, 진정해 봐!" 아인이 양손을 드리머의 어깨에 올렸다. "진정하고 얘기를 해 봐." 그녀는 그가 눈을 쳐다볼 때까지 기다렸다.

이리저리 움직이던 드리머의 초점이 아인의 눈동자로 맞춰지면서 진정했다.

"내가 종이를 가져왔었는데, 잃어버렸나 봐."

"종이? 종이면 되는 거야?"

가방을 뒤적이는 아인이 수첩을 꺼냈고 한 장을 뜯어서 드리머에게 주었다. 그는 종이의 수가 한 장 적어서 두 장이 필요하다고 손가락으로 나타냈다. 그녀가 수첩을 가방에 다시 넣으려다가 그에게 종이 한 장을 더 주었다.

"이건 잃어버리지 않도록 해. 이제 우리는 집에 가야 하니까."

드리머는 감동한 눈빛으로 아인에게 고마워했다.

"정말 고마워!"

아인은 별 거 아니라는 듯이 반응하고 류인태와 복태현에게 집으로 가자고 손짓했다.

드리머는 학용품 가게를 들어가기 전에 미리 창문으로 물건이 있는지 보았다. '자석이 있는지 확인하고 가면 더 빠르게 고를 수 있을 거야.' 그는 주위를 돌면서 창문으로 진열된 학용품들을 보며 자석이 있는지 확인했다. '전에 자석을 여기서 구매했었던 거 같은데?'

드리머는 자석을 찾지 못해서 학용품 가게 안으로 들어갔다.

신령수는 드리머가 안으로 들어와서 오라고 손짓했다.

드리머는 의자를 밟고 신령수와 대화를 하러 갔다.

"네? 왜 부르셨나요?"

신령수가 웃으면서 두 개가 붙은 자석을 드리머에게 보여 주었다. 전에 더 강력한 자석이 필요하다고 했던 것을 잊은 그는 고개를 갸우뚱했다.

"전에 네가 더 강력한 자석이 필요하다고 하지 않았었니?"

"아! 맞다." 드리머는 머리를 쓰다듬었다. "그건 얼마인가요?"

신령수는 자석을 계산해 주었다.

드리머는 자석을 받아서 주머니에 넣었고 자석이 다른 곳으로 빠지지 않도록 꽉 쥐었다.

"다른 자석은 없는 건가요?"

"저기 한번 보렴."

신령수가 자석이 진열된 곳을 가리켰다.

신령수가 가리킨 곳으로 가서 자석을 보았지만, 원하는 모양의 자석은 없었고 일자로 된 자석 한 가지와 다른 모양의 자석들이 있었다.

드리머가 종이 두 장에다가 자석을 대면서 실험해 보려고 했지만, 끈적이가 없어서 자석이나 종이가 떨어졌다.

'끈적이가 없어서 자석을 붙일 수 없네. 자석을 붙이려면 구매를 해야 할 거 같은데…' 드리머는 막 구매했다가 집에서 나뒹구는 자석처럼 될 거 같아서 망설였다. '음… 바로 구매를 하는 건 좋지 않은 것 같아. 우선 괜찮은지 확인을 모두 다 마친 다음에 구매해야겠다.'

드리머는 들고 있던 자석을 내려놓고 주머니에 있는 자석이 빠지지 않도록 주머니에 손을 넣었다. 그는 물건을 구매하지 않을 거여서 신령수에게 고개만 끄덕이면서 조용히 인사를 하고 나갔다.

'이런 종이에 자석을 붙이면 뒤에 그림자가 생겨서 뭔가가 있다는 것을 알아차릴 거 같고 갑자기 종이끼리 붙어 버리면 자석이라는 것을 쉽게 들킬 거야.' 종이에 자석을 댄 드리머는 여러 각도에서 종이를 보았다. 그가 여러 각도로 보아도 자석이 보이지 않는 곳은 없었다. '어떻게 하면 이 그림자가 생기지 않을 수 있을까?'

종이를 보면서 고민하는 드리머가 실생활 용품 가게 앞을 지나가고 있었다.

"종이를 왜 그렇게 보고 있는 거니?"

드리머가 말소리가 나는 곳을 보았는데, 잠깐 바람을 쐬러 나온 해보하가 그를 보고 웃고 있었다.

"아! 종이에다가 자석을 사용하려고 하는데, 그림자가 보여서 그림자가 생기지 않는 자석을 구해야 하나 고민 중이에요."

"그림자가 생기지 않는 자석은 없겠지만, 자석을 가리면 되지 않을까?"

"자석을 가려요?" 새로운 방법을 들은 드리머의 입과 눈이 동그래졌다. "어떻게 자석의 그림자를 가릴 수 있나요?"

"예를 들자면, 자석을 하얗게 칠하거나 자석이 보이지 않도록 뒷면에 자석을 다 채운 뒤에 종이를 또 붙이면 하나의 종이처럼 보이지 않을까?"

"그렇게 하면 자석이라는 것을 들키지는 않겠지만, 그림자는 없어지지 않겠네요?"

"그림자는 없어지지 않을 거란다. 만약에 그림자까지 보이지 않게 하려면 두꺼운 종이를 사용하거나 종이 주위에 틀을 사용해서 자석을 숨겨야 되겠지."

해보하가 종이와 자석을 들고 자세하게 설명해 주었다. 드리머는 그녀가 알려 준 것들 중에 어떤 것이 나을지 상상해 보았고 그녀는 상상에 빠져서 멍한 그의 손에 종이와 자석을 주고 지나가는 사람들이 치지 않도록 안전하게 가게 내부로 데리고 갔다.

"편하게 쉬다가 가렴."

아무도 보이지 않는 곳에 앉은 드리머는 조용하게 상상의 세계로 들어갈 수 있었다.

'우선 첫 번째로 종이 두 장 사이에 자석을 놓은 것이 있다고 생각해 보자.'

상상 속에서의 드리머의 손에 종이 사이에 자석을 넣은 책이 생겨서 책을 넘겼다. 종이가 넘어가다가 종이 사이에 있는 자석끼리 붙으면서 소리가 났다.

'이러면 소리가 나서 쉽게 들킬 거야. 같은 극이면 소리가 안 나지 않을까?'

드리머는 원하는 그림이 나오지 않아서 새로운 방법으로 다시 생각했다.

드리머의 손에는 똑같은 책이 생겼고 다시 종이를 넘겼다. 자석이 같은 극이어서 붙는 소리가 나지 않았지만, 종이가 약간 떠 있는 것이 어색해 보였다.

드리머는 종이가 뜨는 이유가 자성이 강해서 그런 거라고 생각해서 더 약한 자성을 가진 자석으로 바꾸었다.

약한 자성의 자석으로 바꾼 뒤로 소리가 나거나 종이가 들리는 것이 사라졌다.

'이 정도면 된 거 같아. 그러면 이 정도의 자성을 가진 자석으로 참고하면 될 거 같네.'

다음으로 종이 끝부분에 틀을 붙이는 것이었다.

'종이 끝부분에 틀이 있으면 확실히 자석을 숨기는 것에는 좋을 거 같아. 그런데 책에는 어떤 틀들을 사용하지?'

상상 속에 있던 드리머는 책에 사용되는 틀을 알아보려고 상상 속에서 나와 서점으로 향했고 안으로 들어갔더니, 기계가 그를 반겨 주었다.

'오늘은 구매하려고 온 게 아니고 틀을 보러 온 거니까.' 드리머는 책을 구매할 생각이 없었기에 기계에 앉지 않고 책의 틀을 보려고 수많은 책들이 꽂혀 있는 책장으로 가서 마음에 드는 책이 있는지 보았다. 그는 수많은 책들의 겉과 두께를 확인하면서 신중하게 고르느라 시간이 걸렸다. '이 책이 괜찮은 거 같은데?' 그는 마음에 드는 책들을 꺼내서 둘러보았고 표지부터 안쪽까지 확인했다.

드리머는 표지의 대부분이 비슷해서 어떤 것이든지 상관이 없을 거 같다고 생각했지만, 내부 종이의 끝부분에는 틀을 사용하지 않아서 고민이 깊어졌다. '생각해 보니까, 책 안쪽에는 틀을 따로 하지 않고 표지에만 하는데…' 그는 내부에도 틀을 사용하는 것으로 생각을 바꾸어서 처음 시도해 보기로 했다.

드리머가 처음으로 시도를 하는 것에 두려움이 많아서 아직 알 수 없는 문제에 대해 걱정이 많았지만, 잘되면 처음 시도한 새로운 책이 생길 수 있다는 생각에 마음이 부풀었다.

드리머는 종이에 사용할 틀을 구매하려고 다시 실생활 용품 가게로 갔다.

“뭔가 얻어 온 거 같네?”

계산대에 서 있는 해보하가 드리머를 내려다보며 물었다.

드리머는 웃음으로 대답을 하고서 그가 구매할 틀 재료를 보러 갔다.

해보하는 내부에 있던 손님들이 다 나가고 드리머만 남아서 그를 도와주러 갔다.

“내가 도와줄 것이 있니?”

드리머는 종이와 자석을 보여 주었다.

“아까 알려 준 틀을 이용해 보려고 해요! 거기에 맞는 재료를 구할 수 있을까요?”

“그럼!” 해보하는 자신감이 가득한 대답을 하고서 틀을 제작할 수 있는 재료가 있는 곳으로 드리머를 데리고 갔다.

드리머는 틀을 제작할 수 있는 재료들이 있는 곳을 보고 다른 의미로 놀랐다. 그곳에는 틀에 사용할 수 있는 접착용 종이와 종이의 끝부분을 꾸밀 수 있는 틀들이 있었는데, 반짝거리는 것과 책에 집중할 수 있게 하는 것 등 다양했다.

드리머는 너무 과하지 않고 밋밋하지도 않은 것을 집어서 종이에 대 보았다. ‘이게 나은 거 같기도 한데…’ 평소에 결정을 잘하지만, 가끔씩 결정을 하기가 어려울 때가 생기면 시간이 오래 걸렸다.

드리머는 몇 개의 틀을 골랐고 가장 나은 것을 고르려고 쭈그려 앉아서 종이를 바닥에 놓고 위에다가 틀을 대었다.

해보하는 드리머가 결정하는 것을 도와주려고 하나씩 설명해 주었다.

“이건 공부에 집중이 잘될 수 있도록 하려고 장식을 하지 않은 것이고 이건 추억을 기록해서 나중에 읽을 때, 그때를 떠올리면서 설레라고 만든 것이고…”

드리머는 설명을 듣고도 고르기가 어려워서 가장 마음에 와닿는 틀을 선택했다. "나는 이걸로 할래요!" 그가 고른 틀은 추억을 기록해서 나중에 읽을 때, 떠올릴 수 있다는 틀이었다.

해보하는 틀이 망가지지 않도록 잘 포장해서 드리머에게 주었다. "잘해 보렴!" 그가 틀을 고를 수 있도록 도와준 그녀는 그가 만족해하는 것 같아서 덩달아 뿌듯했다.

드리머는 포장지 안에 있는 틀을 빨리 사용하고 싶어서 자석이나 틀이 떨어지지 않도록 잡고서 집으로 빠르게 달려갔다.

8
아름다운 빈 책

드리머는 구매한 재료들을 하나씩 꺼내서 바닥에 흩트렸다. '이 걸로 하면 정말로 추억이 떠오르겠지?' 그는 접착용 종이를 사용해서 조심스럽게 틀을 종이에다가 붙였다.

종이의 한 부분에만 틀을 붙였는데도 정말 아름다웠다.

드리머는 추억을 회상할 수 있을 만한 틀을 구매했다는 것에 뿌듯해했다. '이 틀을 구매하길 잘한 것 같아.' 그는 즐거운 마음으로 종이에 틀을 붙이면서 하나씩 완성했다.

틀을 붙인 종이는 많지 않았지만, 작은 책이라고 할 수 있을 정도의 두께는 되었다.

드리머는 작은 두께의 책이지만, 그곳에 들어간 노력과 정성을 생각하니까, 그것을 볼 사람들의 반응이 궁금해졌다. '이걸 보면 다들 놀라려나?' 바깥 소리에 흠칫한 그는 류인태도 볼 수 없도록 가방에 넣어 두었다. '내일이 기대가 된다.'

날이 밝고 드리머가 기다리던 아침이 왔다.

드리머는 아이들에게 아름다운 책을 보여 주고 싶은 마음에 설레서 눈이 일찍 떠졌다.

"얘들… 어? 드리머는 일어나 있었구나?"

드리머가 깨어 있어서 어머니는 류인태를 깨우고서 방에서 나갔다.

류인태가 잠에서 덜 깬 상태로 눈을 비비며 물었다.

"웬일이야? 이렇게 일찍 일어나고…"

"아… 어제 일찍 잤나? 눈이 빨리 떠지네."

드리머는 류인태가 알아차리지 못하도록 거짓말을 했지만, 그의 머릿속에는 아름답게 꾸민 책밖에 없었다.

드리머네 가족은 평소대로 아침을 먹었지만, 책을 볼 사람들의 반응이 궁금했던 드리머는 평소와 달랐다. '책을 어떻게 보여 주는 게 멋있을까?' 그는 공연을 준비하는 아이들에게 평범하게 보여 주는 것보다 더 멋있게 보여 주고 싶어졌다. '내가 가방에서 꺼내는 것보다 안 보이는 곳에서 책이 나오면 멋있을 텐데… 책이 안 보이게 어떻게 하지?'

"드리머, 앞을 똑바로 봐야지."

류인태가 다른 사람들을 보지 않고 가는 드리머를 세우면서 말했다.

드리머가 류인태의 말을 듣고 앞을 보았더니, 앞사람과 거의 부딪칠 뻔한 거리에 서 있었다. "아, 어. 고마워." 그는 한숨을 크게 내쉬고서 앞을 보며 걸었다.

디떠블유 센터로 온 드리머와 류인태는 아인과 복태현이 있는 곳으로 갔다.

"뭐 하고 있는 거니?"

류인태가 물었다.

아인은 손에 들고 있는 인식기를 보여 주었다. 드리머와 류인태는 그녀가 만든 인식기가 전에 보여 주었던 인식기처럼 보여서 시큰둥한 반응을 보였다.

"너희가 기능을 몰라서 그런가?"

아인은 며칠을 걸쳐서 더 정교하게 만든 인식기를 보고 놀라지 않는 것이 이상해서 인식기를 작동시켰다.

아인이 만든 인식기는 실제로 사용하는 인식기와 완전히 똑같지는 않았지만, 거의 똑같다고 봐도 될 정도였다.

아인은 인식기를 잡고 드리머의 팔을 올린 뒤에 인식기를 올렸다. 그녀의 손가락이 움직이면서 인식기에서 빛이 나왔다.

류인태는 전보다 더 밝아진 빛을 보며 감탄했다.

"정말 멋지다! 이걸 네가 만든 거야?"

아인은 류인태의 칭찬에 주먹을 쥔 양손을 허리에 대었다. "당연하지!" 그녀는 대단하지 않느냐는 듯한 표정을 지은 뒤에 웃었고 더 보여 주었다. "이건 이런 기능도 있어!"

아인이 이어서 보여 준 것은 팔에 빛만 비추는 것이 아니고 핏줄 같은 것처럼 빨간 줄이 보이게 할 수 있었다.

"정말로 진찰을 받는 거 같아."

류인태는 아인이 만든 인식기를 가지고 놀았다.

드리머는 가방에서 조용히 있는 책이 아인의 인식기보다 평범해 보여서 기가 죽었고 괜스레 가방에 있는 책을 손으로 툭툭 건드렸다. '지금 보여 주면 별로 멋있지 않을 거 같아.' 그는 책을 건드리는 것을 그만두고 아인의 인식기를 같이 구경했다.

연습실 소파에 앉아서 가방에 넣어 두었던 책을 보는 드리머는 아쉬움에 책을 넘겼다. 책이 넘어갈 때마다 바람이 미세하게 불면서 그의 앞머리를 흔들었다.

드리머는 자석과 틀이 잘 붙었는지, 손가락으로 문질렀다. '내부에 아무것도 안 적어 놓아서 애들이 별로 안 좋아하면 어떡하지?' 그의 머릿속에서 아인의 인식기를 보며 감탄하는 아이들의 모습이 떠나지 않았다. 그는 착잡한 마음을 책과 함께 소파 위에 내려 두었다.

연습을 하러 가는 드리머의 뒷모습은 쓸쓸해 보였지만, 책에 있는 틀은 반짝 빛났다.

'연습을 해야지. 공연을 곧 할 수도 있다고 했으니까.'

드리머는 공연을 곧 할 수도 있어서 기대가 되었지만, 그전에 시험을 봐야 해서 마냥 좋지만은 않았다.

'집에 와서 가방을 내려놓고 밥을 먹으러 가는 거지.'

드리머는 공연에 할 것을 신중하고 또 신중하게 연습을 하면서 책을 넣기 괜찮은 부분을 찾기 시작했다.

'식탁 위에 있는 식탁보에서 숟가락과 젓가락이 생기게 하면 돼.' 드리머가 공연의 큰 과정만 생각하다 보니, 그가 해야 하는 동작을 생략해 버렸다. '뭔가 이상한데…' 그는 뭔가 이상하다는 느낌이 들어서 멈추었다. '내가 먼저 의자에 앉아야 하구나! 이런… 실수를 하면 안 돼.' 그는 양손을 쫙 펴서 볼을 톡톡 쳤다. '정신 차리고 해야지.'

드리머는 실수했던 부분을 다시 해 보았다. '의자에 앉고 팔을 식탁 위에 올린 뒤에 관객이 있는 부분을 손으로 가리고 다른 손으로 숟가락과 젓가락이 생기도록 해야지.' 신중하게 연습을 하는 그의 모습은 한동안 깨질 것 같지 않았다.

"이제 곧 시험을 볼 거라고 했는데, 어떻게 해야 하지?"

시험을 볼 것에 설레는 아인이 양팔을 떨면서 물었다.

"우리가 평소에 연습하던 대로 하면 될 거야. 거기서 마션이 보완점을 알려 주거나 통과를 시킬 거니까."

류인태도 속으로는 떨렸지만, 아무렇지 않은 척하며 침착하려 했다.

아인은 류인태의 연기에 속아서 떨지 않는 그의 모습을 배워야겠다고 생각했다.

마션이 수첩을 들고 밥을 먹는 아이들에게 왔다.

"다음 주 정도면 괜찮겠지? 준비는 많이 했니?"

"다음 주요?"

갑작스럽게 발표된 시험 날짜에 아이들이 당황해서 소란스러워졌다.

마션은 아이들의 반응에도 아무렇지 않게 괜찮은 날짜를 확인했다.

아이들이 시험을 보는 것에 긴장했지만, 그들 중에서 가장 긴장해서 걱정하는 드리머의 치아가 떨렸다.

'시험은 어떻게 보는 거지? 시험에 관련된 영상이 있을까?' 드리머는 마션의 공연을 보고 참고하고 싶었다. '마션은 어떤 공연을 하는 걸까?' 마션이 연습하는 모습만 보았던 그는 마션이 하는 공연이 궁금해졌다.

아침부터 드리머의 표정을 읽던 아인이 물었다.

"드리머, 너는 만든 게 없니?"

"어?" 드리머는 아인이 물어보아서 책을 만들었다고 자랑하고 싶었지만, 입이 쉽게 떨어지지 않았다. "그게… 아직 못 만들었어." 자신감을 잃은 그가 고개를 숙이고서 밥을 먹기만 했다.

아인은 혹시 아침에 자랑했던 인식기 때문인가 싶어서 미안한 마음이 들었다.

밥을 가장 빨리 먹은 드리머는 곧바로 연습을 하러 연습실로 갔다. '내가 이러고 있을 시간이 없어.' 그는 실수했던 부분을 고치고 책을 넣어야 하는 부분을 더 자세하게 살폈다.

필기도구와 종이를 사용하는 장면으로 넘어온 드리머는 소파 위에 있는 책을 보았다. '이 장면에 책을 넣으면 좋을 거 같은데, 어떤 내용으로 할까?' 그는 책을 가져와서 책상 위에 두었고 필기도구와 종이를 원래의 위치에 설치했다.

드리머는 필기도구를 들었다가 놓고서 책을 펼쳤다. '숙제나 공부를 하려면 먼저 책을 펼치는 게 맞는 거니까.' 그는 책을 펼치고 필기도구를 잡았고 필기도구를 당겨서 책꽂이에 설치한 종이를 가져왔다. '아쉬워.' 그는 책을 펼친 뒤에 필기도구를 잡고 종이를 가져오는 것이 뭔가 아쉬웠다.

드리머는 공부를 하거나 숙제를 할 때의 모습을 상상했다.

'내가 공부를 할 때는 의자에 앉아서 책을 펼치고 필기도구를 잡은 뒤에 책에다가 글을 적고 따로 기록할 내용이 있으면 그때, 종이를 가져오는 거야. 그래! 이거다!'

아쉬운 부분을 알아낸 드리머는 그 장면을 다시 연습하려고 종이와 필기도구를 원래의 자리에 설치했다. '우선 책을 펼치고 필기도구를 잡은 뒤에 적는 척을 하다가 뭔가 아쉽다는 표정을 지어야 해. 그런 뒤에 종이를 가져오는 것으로 하는 게 가장 자연스러운 거 같아.'

생각보다 괜찮은 장면을 만들어서 흥이 난 드리머는 고개를 좌우로 흔들었다.

드리머는 상상에서 나왔고 상상했던 장면을 현실에서 해 보기로 했다.

드리머는 밥을 먹는 장면을 한 뒤에 의자에 앉아서 아름답게 꾸민 빈 책을 펼쳤고 필기도구를 잡아서 책에 적는 척을 했다. 그가 상상했던 대로라면 적는 척을 하다가 아쉬워하는 표정을 짓는 것인데, 연기라는 것이 어려웠다. '연기하는 것이 어렵네.' 그는 아쉬운 표정을 생각한 적이 없었기에 정확하게 어떤 표정인지 몰랐다.

드리머는 아쉬워하는 표정이 어떤 표정인지 알려고 아이들에게 갔다.

처음에는 가장 가까이에 있는 복태현의 방이었다. 똑. 똑.

복태현은 드리머가 방문을 두드려서 잠깐 나왔다. 그의 복장은 공연에서 입을 복장이었다.

"오! 이건 네가 공연할 때 입을 옷이니?"

드리머는 복태현의 복장이 놀라웠다.

복태현은 자신이 만든 옷에 만족했는지 웃으면서 양팔을 양쪽으로 뻗었다.

드리머는 복태현의 복장에 놀란 것도 있지만, 그가 하려는 공연이 탐험과 관련이 있다는 것을 알게 되었다.

'탐험에 관련된 공연은 뭐가 있을까?'

복태현이 옷을 보며 멍하니 있는 드리머에게 물었다. "그런데 여기는 왜 온 거야?" 그가 복도를 살피며 물었다. "밥 먹을 시간이 된 거야? … 밥은 아까 먹지 않았나?"

"어… 어! 밥은 아까 먹었지. 그것 때문에 온 게 아니야."

복태현은 고개를 갸우뚱하며 드리머를 보았다.

"아, 그게… 내가 아쉬워하는 표정에 대해 알아내고 있는 중인데, 너는 언제 아쉽니?"

"나?" 복태현은 드리머를 도와주려고 검지로 턱을 쓸면서 아쉬워할 때의 상황을 생각했다. 아쉬워하는 상황이 어떤 상황인지 생각나지 않았는지, 그의 미간에 힘이 들어갔다. "아쉬운 상황이 뭐가 있을까?"

드리머는 복태현에게서 아쉬워하는 표정을 볼 수 없을 거 같아서 아쉬움에 한숨을 내쉬었다. "휴우… 나는 아인에게 가 볼게. 고마워."

복태현은 드리머를 도와주지 못했다는 것이 미안했지만, 시험이 얼마 남지 않아서 다시 연습을 하러 갔다.

드리머는 아인의 방문을 두드렸다. 똑. 똑.

아인의 방문을 두드려도 반응이 없었다.

'다른 곳으로 갔나?' 드리머는 아인이 반응하지 않아서 류인태의 방으로 가면서 주위를 둘러보았다. '우리가 갈 수 있는 다른 곳이 있었나?' 류인태의 방에 도착한 그는 문을 두드렸다.

두드리는 소리를 들은 류인태가 문을 열고 나왔다.

"인태, 잠깐 시간 되니?"

"응. 잠깐은 돼."

류인태의 기분은 좋아 보였다.

"지금 내가 아쉬워할 때 어떤 표정을 짓는지 알아내는 중인데,

너는 어떤 표정을 짓니?"

"그런데 본인이 어떤 표정을 짓는지 잘 모르지 않을까?" 류인태는 본인이 연습을 할 때가 떠올랐다. "그러고 보니까, 내가 연습을 할 때 거울을 보면서 해서 내 표정을 확인했었어. 그런데 아쉬워하는 표정은 짓지를 않아서 잘 모르겠네."

"아…" 드리머는 이번에도 못 들을 것 같아서 류인태에게 고맙다고 하고 다른 곳을 둘러보았다.

'내가 이곳에 어떤 곳이 있는지 모르잖아. 한번 둘러봐야겠다.'

드리머가 그들의 방을 제외하고 어떤 방들이 있는지 보았는데, 그들이 연습을 하는 방 건너편에 방이 있었다.

'이 방은 우리가 처음에 들어갔었던 방인 거 같은데?'

그 방은 그들이 처음 들어갔을 때는 위험했던 방이었는데, 지금은 완전히 다르게 꾸며져 있었다.

'이 방은 어떤 주제로 꾸민 거지?'

드리머는 조심스럽게 그 방으로 들어가서 걸었다.

그 방에 있었던 다른 장식들은 없어졌고 긴 거울들만 있었다. 그 거울들은 바닥을 제외한 모든 곳에 미로처럼 되어 있었다.

드리머는 사방에 비친 모습에 어지러워서 머리에 손을 얹고 다시 나가려고 문으로 향했다.

'여기는 있을 만한 곳이 아닌 거 같아.'

끼익. 드리머가 밖으로 나가려고 했는데, 문이 처음처럼 닫혔다.

"어?" 드리머가 닫힌 문으로 가서 문을 당기고 밀었지만, 문은 꿈쩍도 하지 않았다. '이런… 이곳을 통과해야 하는 건가?' 그는 처음 겪었던 경험에 사방을 둘러보기 바빴다. '다른 게 날아오지는 않겠지?'

드리머는 뭔가가 날아왔다가는 거울이 사방에 있어서 위험할 거라는 생각에 다른 설치물은 없을 거라고 믿었다.

드리머가 길을 천천히 걸어가면서 살짝 옆을 보았는데, 거울에 비친 모습이 보고 싶지 않았다. '앞만 보면서 가야지.' 그는 양손으로 옆을 가리면서 앞으로 가기만 했다.

잘 가고 있는 드리머에게 위기가 찾아왔다. 그의 눈앞에는 바닥에도 모습이 비치면서 빛이 없어지는 곳이 있었다.

'이곳을 가야 한다는 거지?' 드리머가 그곳으로 가고 싶지 않아서 다른 곳이 있는지 둘러보았지만, 갈 수 있는 곳은 없었다. '이곳으로 가야 한다는 거잖아… 그래도 내가 잘 가고 있다는 거 같아.'

드리머는 무서워서 살짝 눈을 감고 한발을 내딛고 몇 초 동안 가만히 있었다.

'아무 일도 안 일어나는 거 같은데?'

드리머가 감았던 눈을 서서히 떴다. 그의 눈에는 앞이 들어오지 않았고 뒤에서 빛나는 빛을 비추는 거울만 보였다.

드리머는 앞이 보이지 않아서 그곳에서 나왔고 고개를 숙였다. '고개를 숙이면 멀리까지 보이니까, 먼저 확인을 해 보고 가야겠다.' 그는 바닥에 납작 엎드려서 빛이 비치는 곳을 보았다.

빛이 비치는 곳은 얼마 되지 않았지만, 밝게 비쳤고 그나마 다행인 것은 서 있을 때, 보이지 않는 곳까지도 살짝 보였다.

드리머는 꺾이는 부분이 어디인지 확인한 뒤에 대략적으로 어디까지라고 기억을 하고서 안으로 들어갔다.

드리머는 앞이 보이지 않아서 손으로 옆에 있는 거울을 짚으면서 한 발 한 발 나아갔다. '이쯤이었던 거 같은데?' 그는 대략적으로 기억했던 꺾이는 곳에 다 온 것 같아서 더 천천히 걸었다.

잘 가다가 드리머가 손으로 거울을 짚으려고 했는데, 허공을 젓는다는 느낌이 들어서 그곳이 꺾이는 곳인 것을 알았다. '이곳에서 꺾이는 거니까, 거울이 어디에 있는지 확인해야 해.' 그는 손으로 거울의 위치를 확인하려 했다.

드리머가 마지막으로 거울을 짚은 곳에서 손을 뻗었지만, 그곳에는 거울이 없었다. '응? 이곳보다 더 깊은 곳에 있는 걸까?' 그는 거울 말고 다른 것이 있을까 봐, 걱정했다.

드리머가 다음 거울이 어디에 있는지 찾지 못하다가 딱 한 가지가 머릿속에서 떠올랐다. '혹시 거울이 양면 거울인가?' 그는 거울이 양면 거울이라면 얇을 거라서 손을 맞닿듯이 모아 보았는데, 그의 생각이 맞았다. 그곳은 양면 거울로 되어 있어서 굵기가 얇았다. '이곳으로 다시 꺾이는구나. 디귿자 모양으로 되어 있는 곳인가 봐.' 그는 거울을 손으로 짚으면서 다시 걸어갔다.

드리머가 똑같은 방법으로 길을 나아가는데, 출구가 보였다.

'전에도 저곳이 출구였던 거 같아. 출구를 바꾸는 것은 어려우니까.'

드리머는 다 왔다는 것에 안도의 미소를 지었다.

출구에 거의 다 도착했는데, 어두운 곳에서 한곳만 비추고 있는 빛을 보았다.

'저기에 뭐가 있어서 저곳만 비추고 있는 걸까?'

빛을 비추고 있는 것은 드리머에게 익숙한 책이었다.

'이건 책인데?'

드리머는 그 책에 어떤 내용이 적혀 있는지 펼쳐 보았다. 책을 펼쳤을 때, 반가웠던 것이 아무런 내용도 적혀 있지 않았다.

드리머는 자신이 만든 책과 그 책의 다른 점을 찾으면서 틀을 보고 두께를 쟀다. '두께는 생각보다 훨씬 얇은데?' 그는 책이 너무나도 얇아서 어디에 사용할 수 있는지 연습을 할 때처럼 해 보았다. '어차피 이곳에 의자가 없어서 앉지는 못할 거야.' 그는 상황이 다르지만, 연습을 했던 것을 생각하면서 진지하게 임했다.

드리머가 몇 번을 반복해서 연습을 했지만, 본인이 만든 아름다운 빈 책과 다른 점을 찾을 수 없었다. '다시 나가야겠다.' 그가 펼쳐 놓은 책을 덮으려고 한 손으로 표지 끝을 살짝 건드렸는데, 책의 끝이 살짝 뜨더니, 저절로 덮어졌다. 촤르륵.

책이 자동으로 덮이는 것을 본 드리머가 그곳에 설치되어 있는 장치를 확인하려고 책상의 이곳저곳을 쓸어 보고 긁어 보았지만, 아무것도 걸리지 않았다.

드리머가 자동으로 덮어지는 것을 확인해 보려고 다시 펼쳤는데, 펼쳐진 상태가 유지되지 않고 다시 덮어졌다. '다시 덮어지면 내가 알 수 없는데…' 그가 그것에 사용된 장치와 기술을 알아내려고 책을 펼친 상태에서 움직이다가 어느 특정한 곳에서만 펼쳐지는 것을 알게 되었다.

'이곳이었던 거 같아.' 드리머가 예상되는 곳에 책을 펼쳤는데, 책은 펼쳐진 상태에서 다시 덮어지지 않았다. '그래! 여기야! 여기에 뭔가가 있을 거야.' 그가 그곳에 뭔가가 있다는 것을 알게 되었지만, 그게 무엇인지 알 수 있는 방법은 그곳에 없었다.

'흠…' 드리머가 책을 이리저리 움직이는데, 특정한 곳에서 작은 소리가 들렸다. 틱. '이건 무슨 소리지?' 그는 소리가 난 곳에 귀를 바짝 대어서 들어 보았다.

드리머가 귀를 대고 들었는데, 그곳에서 자석과 자석이 붙을 때 나는 소리가 작게 들렸다. '이거였어! 책이 덮어지지 않도록 자석으로 고정을 했는데, 손이 표지의 자석과 책상 안에 있는 자석이 붙는 것을 막아서 자동적으로 덮어지는 거였어!' 그는 새롭게 알게 된 내용에 신나게 그 방에서 나갈 수 있었다.

9
마션의 시험

"내일 시험을 볼 거니까. 그동안 연습했던 것들을 보여 주면 된단다."

마션이 힘을 내라면서 종이로 만든 꽃을 아이들에게 하나씩 주었다. 그들은 신기하다는 표정으로 꽃을 보며 감탄했다. 그 종이꽃은 드리머가 만든 것과는 다르게 옷에 고정시킬 수 있었다.

드리머는 옷에 고정시키는 것이 힘겨웠다. '이게 고정이 잘 안되네.' 그가 고정을 잘 못해서 아인이 그것을 고정시켜 주었다. "고마워." 그녀는 그를 보며 환하게 웃었다.

"아인…" 드리머가 힘없이 아인을 불렀다.

"응?" 아인은 반짝이는 눈으로 고개를 기울이며 드리머를 보았다.

"긴장… 안 돼?"

"긴장?" 아인은 검지를 밑 입술에 대었다. "긴장… 되지?"

"그런데 어떻게 그렇게 태연할 수 있니?"

"내가 태연했나? 히히. 시험에서 떨어져도 다시 볼 수 있지 않을까? 아니더라도 내가 연습을 많이 안 해서 떨어진 거니까. 어쩔 수 없지."

드리머는 아인의 생각이 멋있다고 생각했다. '아인은 나와 다르구나.' 그는 자신과 다른 그녀의 생각과 태도를 닮고 싶었다.

"드리머, 인태. 오늘 잘하고 오렴!"

어머니가 드리머와 류인태에게 시험을 잘 치르라면서 응원했다.

드리머는 마지못해 고개를 끄덕였지만, 류인태는 재미있을 것 같아서 신나게 엘그프 3단계 방 안으로 들어갔다.

"걱정 말고 최선을 다하면 될 거야."

어머니는 드리머의 머리를 쓰다듬었고 한쪽 눈을 깜빡였다.

드리머는 양손에 주먹을 꽉 쥐고 방으로 들어갔다. '잘해 보자. 긴장하지 말고 평소대로만 해도 될 거야.' 그는 긴장이 되어서 어지러웠다.

"드리머가 잘할 수 있을까요?"

"아니요. 다음에 시험이 있는지는 모르겠지만, 오늘 드리머의 모습을 보니까, 떨어질 거 같아요. 그래도 열심히 하면 되지 않을까요? 후훗. 우리도 가죠."

드리머가 이번 시험을 통과할지 못할지 얘기를 하면서 일을 하러 가는 아버지와 어머니는 그가 떨어질 거라고 대화를 하면서도 아무렇지 않아 했다.

'오늘은 정말 시험을 보는 날이니까, 잘해야 해.' 긴장한 드리머는 연습을 끝내고 잠깐 쉬면서 긴장을 덜어내려고 했다. 그가 얼마나 긴장했는지, 떨리는 손이 알려 주었다. '긴장하면 안 되는데… 긴장하지 말자.' 그는 다시 마음가짐을 다듬고서 연습을 했다.

드리머의 연습은 순조롭게 되지 않았고 평소보다도 더 안되었다. 그는 긴장하지 말자고 속으로 계속 말하면서 연습에 임했다. '이 상태로 가도 괜찮을까?' 그가 연습을 하면서 거울을 보았는데, 그의 표정이 좋지 않았다. '표정이 이러면 안 될 텐데…' 그는 억지로 미소를 지으면서 웃으려고 했지만, 어색해서 봐 줄 수가 없을 거 같았다. '이러면 오늘 보는 시험에서 탈락이야.' 그는 걱정에 다시 손을 떨었다.

시간이 흐르고 마션의 방송이 울렸다.

"다들 하던 연습은 그만하고 밥을 먹으러 오세요. 밥을 먹은 뒤에 시험을 볼 예정이에요."

드리머는 방송을 듣고 더 긴장되었다.

"와아! 이제 곧 시험을 본다!"

"드디어 내가 계획한 공연에 대해 평가를 받을 수 있어!"

밥을 먹으러 가는 아인과 류인태는 기대를 하는지 목소리가 컸고 행동도 컸다. 복태현은 평소대로 신나 있었다.

드리머는 그들이 부러웠다. '다들 좋아 보이네.' 그가 밥을 먹으러 가고 있지만, 입맛은 점점 없어졌다.

"드리머, 안 먹니?"

아인이 밥을 먹지도 않고 쳐다보고만 있는 드리머에게 물었다.

"어? 어…" 드리머는 다들 밥을 먹고 있었기에 밥을 먹어야 할 것 같아서 숟가락으로 밥을 펐다가 놓았다가를 반복했다.

"드리머, 먹을 생각이 없으면 먹지 않아도 된단다." 마션은 드리머가 어떤 심정인지 알고 있어서 입맛이 없다는 것을 알았다. "밥을 먹고 싶지 않다면, 연습을 조금 더 해도 되고 쉬고 있어도 된단다."

드리머는 고개를 끄덕였고 밥이 식지 않도록 그릇을 올렸다. '뭘 하는 게 좋을까?' 그는 방으로 가서 소파에 앉았다. '지금 연습을 하면 더 긴장할 거 같으니까, 시험을 보기 전에는 마지막으로 점검을 해야겠다.' 그는 도구에 문제는 없는지, 빠진 것은 없는지 살펴보았다.

드리머는 도구에 문제가 있거나 빠진 것이 없어서 안심했다. '휴우. 다행이다. 이제 이걸로 시험을 보면 되는 거잖아?' 안심이 된 그의 긴장은 조금 늦추어졌다.

"이제 시험을 볼 예정이니. 본인이 공연을 할 수 있도록 준비를 마친 뒤에 모이는 걸로 할게요. 연습은 하지 말고 설치만 하면 되는 거니까, 20분 뒤에 모이는 걸로 할게요."

드리머는 마션의 평온해 보이는 말이 미워졌다.

'시험을 안 보고 평가를 하는 입장은 긴장이 안 되겠지?'

밥을 먹지 않아서 준비를 먼저 마친 드리머가 모이는 곳으로 갔다.

마션은 미리 온 드리머를 보았지만, 못 본 척하면서 연습을 했고 드리머는 할 게 없어서 두리번거리다가 그가 연습하는 것을 보았다.

아인과 류인태, 복태현이 준비를 끝내고 모였다. 마션은 그들이 모여서 그들 앞으로 왔다.

"너희가 하는 것을 한 번에 볼 수 없으니까, 순서를 정해야 하는데, 누구부터 할래?"

드리머와 아인, 복태현은 제일 먼저 하는 것에 부담이 돼서 말이 없어졌는데, 류인태는 자신 있게 손을 들었다.

"내가 먼저 할게요!"

"그래. 인태가 먼저 하고 다음은 누가 할까?"

그 다음으로 아인이 손을 들었고 복태현이 하기로 해서 드리머는 자동으로 마지막에 하게 되었다.

"그러면 인태의 방으로 먼저 가 보자구나."

마션이 아이들을 일으켜서 류인태의 방으로 데리고 갔고 아이들을 소파에 앉힌 뒤에 말했다. "오늘은 시험이어서 가림막이 없을 거란다. 그래서 너희가 미리 설치한 것들을 구경하면서 볼 수 있을 거야. 그건 신경 쓰지 말고 연습한 대로 보여 주면 된단다. 인태부터 준비한 대로 해 보자."

류인태는 준비한 것을 보여 주기 전에 몸을 풀었고 팔찌로 노래를 틀었다. 노래는 잔잔하면서도 신이 났다.

'아! 나는 노래를 정하지 않았는데…'

드리머는 노래를 정한다는 것을 잊어서 바짝 긴장했다.

류인태의 공연은 노래에 맞춰서 진행되었고 노래가 곧 끝나는지, 공연의 멋진 부분을 하고 있었다.

'와아. 역시 인태가 마션에 대해 관심이 많아서 할 수 있는 것들이 많다.'

드리머는 고개를 살짝 돌려서 아인과 복태현, 마션의 반응을 확인했다. 아인과 복태현은 감탄하면서 보고 있었고 마션은 종이에 뭔가를 적으면서 신중하게 보고 있었다.

류인태의 공연이 끝나고 인사를 했다. 드리머와 아인, 복태현은 박수를 치면서 잘했다고 했다. 마션은 박수를 치지는 않았지만, 고개를 끄덕였다.

"다음은 아인이 차례니까, 아인은 드리머와 태현을 데리고 가렴. 인태는 잠깐 얘기 좀 나누자구나."

마션이 종이를 류인태에게 건넸다.

드리머와 아인, 복태현은 먼저 류인태의 방에서 나갔고 아인의 방으로 갔다.

아인의 방으로 들어와서 도구를 보았는데, 마치 병원에 온 것처럼 느껴졌다.

드리머와 복태현은 아인이 꾸민 방을 보고 감탄했다.

"오. 아인, 잘 꾸몄다."

"병원 같아!"

"그래? 그러면 다행이다!" 아인이 기뻐하면서 소파를 가리켰다.
"저기가 소파야. 저기에 앉아 있어!"

드리머와 복태현은 소파에 앉았고 아인은 마션과 류인태가 오면 바로 공연을 할 수 있게 서 있었다.

몇 분이 지나고 마션과 류인태가 와서 소파에 앉았다. 류인태의 표정이 나쁘지 않은 것을 보니, 괜찮은 평가를 받은 듯했다.

'인태는 좋은 평가를 받았나 보다. 정말 부러운걸.'

드리머는 나중에 하는 것이 좋을 줄 알았는데, 그들이 잘해서 긴장이 점점 높아져 갔다.

아인의 공연이 시작되었다. 시험이지만, 그녀는 진지하게 임했다.

드리머는 공연이 시작되었는데도 노래가 나오지 않아서 신경이 쓰였다. '응? 노래를 틀지 않은 거 같은데?' 그는 아인이 노래를 준비를 안 했을 리가 없다고 생각해서 노래를 틀지 않았다고 말해 주고 싶었지만, 마션이 말했던 규칙이 있어서 말하지 않았다.

마션은 노래가 나오지 않아도 아인의 공연을 보면서 종이에 적었다.

두근! 두근! 심장소리가 들려서 깜짝 놀란 드리머가 멈칫했다. 그 소리가 난 것은 효과음으로 아인이 진찰을 보는 상황에서 사용한 것이었다.

'와. 효과음이 나오는 시간까지 맞춘 건가?'

드리머는 아인이 시간을 맞추면서까지 공연 준비를 했다는 것이 놀라웠다.

아인의 공연은 점점 절정으로 흘러갔고 그녀가 전에 보여 주었던 인식기를 사용했다. 그녀가 인식기를 사람 모형에 대었더니, 인식기에서 빛이 나오면서 몸을 훑어보는 듯한 장면을 연출했다. 그녀는 빛을 보면서 뭔가 이상하다는 듯한 표정을 지은 뒤에 고개를 숙이면서 팔을 보았다.

'실수를 한 건가?' 드리머는 평소에 아인이 실수를 했을 때 나오는 행동과 표정을 보고 실수를 했다고 생각했다. '실수를 해도 정말 좋은 평가를 받을 거 같아.' 마션에 대해 잘 알지 못했던 그는 그녀가 실수를 하더라도 이 정도의 공연에 마션이 만족할 것 같다고 느꼈다.

아인이 고개를 들지 않고 인식기가 고장이 났는지 소리를 들으며 확인을 하다가 뭐가 잘못되었는지 깨달았다는 듯이 인식기를 두드렸다. 인식기에서 나오는 빛에서 힘줄 같은 모양이 나왔고 그녀는 옆에 두었던 책상 위에 있는 종이에다가 기록을 적는 척했다.

'와, 저게 다 연기였던 거였어? … 정말 많이 준비했다.'

드리머의 감탄과 함께 공연은 끝이 났다.

"다음은 태현의 차례니까, 태현은 드리머와 인태를 데리고 방으로 가고 아인은 잠시 대화 좀 나누자구나."

복태현은 드리머와 류인태를 데리고 나갔고 마션은 아인과 함께 그 방에서 그녀의 공연에 대해 말했다.

드리머가 나가면서 슬쩍 마션을 보았는데, 그가 설명하는 동안의 표정은 다른 누구와도 비교할 수 없을 정도로 밝았고 재미있어 보였다. '마션은 꿈을 이뤄서 저런 표정을 지을 수 있는 건가?' 그는 행복해 보이는 마션을 보고 꿈을 정하는 것이 좋은 것 같아서 꿈에 대해 진지하게 생각해 볼 필요가 있다는 것을 느꼈다. '나의 꿈은 뭘까?'

복태현의 공연은 그들이 탐험을 했을 때였다. 그가 공연에 사용한 도구에는 그가 직접 만든 것과 무힌이 만든 도구가 있었는데, 무힌이 만든 도구들은 마션이 만들었다고 해도 될 정도로 신기했다.

드리머는 노래가 끝나 가는 것 같아서 점점 긴장이 되었다. 그는 오랜만에 느낀 극도의 긴장감에 어지러웠고 잘 들리지도 보이지도 않았다.

"드리머, 너무 긴장하지 마."

아인이 드리머의 어깨를 주무르면서 말했다.

드리머의 방으로 와서 긴장한 그는 아인과 류인태에게 소파 위치를 알려 주지도 않고 곧바로 연습할 때처럼 도구로 향했다.

"드리머가 많이 긴장한 거 같지?"

류인태와 소파로 가서 앉은 아인이 물었다.

류인태는 긴장한 드리머의 모습이 재미있었다.

"그런 거 같은데? 드리머의 저런 모습을 볼 때마다 재미있는 거 같아."

드리머는 공연과 도구만 생각하느라 아인과 류인태의 말이 귀로 들어오지 않았다. '도구는 잘 있으니까, 잘해야지.' 그가 걱정을 하면서 도구를 만지는 바람에 도구가 어떻게 되는 것인지 다 보였다.

류인태는 이미 집에서 보아서 상관이 없었지만, 아인은 몰랐기에 말을 걸었다. "지금 드리머가 긴장해서 도구가 어떻게 되는 건지 다 보여 주고 있으니까, 안 보는 게 좋을 거 같아." 그는 그녀가 드리머가 있는 곳을 못 보도록 손바닥으로 가렸다.

"이제 그만하고 공연할 준비를 하렴."

복태현과 같이 온 마션이 드리머의 행동을 보고 인상을 찌푸렸다.

아인과 복태현은 처음으로 마션이 인상을 찌푸리면서 뭐라고 하듯이 말하는 모습을 처음 봐서 당황했고 조용히 눈치를 보았다.

마션의 말에 흠칫한 드리머는 다시 정리를 한 뒤에 공연을 할 수 있도록 설치해 놓았다. 그가 많이 어지르지는 않아서 빠르게 시작할 수 있었지만, 마션의 표정은 좋아지지 않았다.

드리머는 마션의 표정이 무서워서 벌벌 떨었다.

마션은 드리머에게 어서 하라고 손짓했다.

드리머는 긴장한 채로 공연을 시작해야 했다. 그가 도구를 잡는 순간부터 평소와 다르다는 것을 느꼈다.

드리머의 긴장은 그를 좋지 않은 쪽으로 흘러가게 했다. 평소에 하지 않았던 도구를 놓치거나 잡지 못하는 실수를 했고 표정 관리를 하지 못했다. 이런 실수들을 할 때마다 그의 심장이 쿵쿵 뛰었다. '어떡하지?' 시간이 갈수록 그의 집중력이 떨어졌다.

'어떡하지?' 아인은 실수를 해서 정신이 없어 보이는 드리머를 걱정했다. '이렇게 하다가는 힘들 거 같은데…'

공연의 마지막 장면이 되었다.

드리머가 실수를 하지 않으려고 숨을 크게 내쉬었지만, 이불과 베개를 잡고 어설프게 가렸다.

드리머의 평소 모습을 알고 있는 류인태는 그의 부자연스러운 모습이 안타까웠다. '이런… 드리머…' 그는 평소대로 하지 못한 드리머의 공연이 많이 아쉬웠다.

공연이 끝나고 마션이 자리에서 일어났다. "드리머만 이곳에 남고 각자 방으로 가서 연습을 하렴. 하아…" 그의 한숨에는 감정을 억누르고 있다는 것이 담겨 있었다.

아인과 류인태, 복태현은 빠르게 그 자리를 피해 주었다.

마션이 드리머를 소파로 불렀다. "드리머, 솔직히 말해 보렴." 그는 이해가 되지 않는다는 표정을 지었다.

드리머가 긴장해서 손가락을 만지작거렸는데, 마션은 그가 집중을 하지 못한다고 생각해서 그의 손가락을 잡았다.

드리머가 고개를 들고 마션을 보았지만, 할 말이 없어서 말을 하지 않고 바라만 보았다.

"드리머, 연습을 많이 한 거니?"

드리머는 마션의 물음에 어떤 대답을 해야 할지 몰랐다. '나는 많이 했다고 생각하는데, 마션에게는 그렇지 않게 보인 건가?' 긴장한 것이 풀린 그에게 무서움이 다가와서 눈물을 보였다.

"드리머, 네가 연습을 많이 안 했고 할 생각이 없다면 더 이상 할 말은 없지만, 연습을 많이 한 거라면 말해 줄 것이 있지." 마션은 드리머가 울고 있어도 할 말을 했다. “네가 연습을 많이 안 했더라도 앞으로 열심히 할 거면 알려 줄 의향이 있으니, 솔직하게 말해 주렴.”

“나는… 연습을… 열심히… 했다고… 생각해요.”

드리머는 콧물이 나와서 훌쩍이면서 대답했다.

마셔은 드리머를 믿기로 하고 조언을 해 주었다. “네가 잘할 수 있을 거라고 생각하고 네 공연에서 부족한 점을 말해 줄게. 네 공연에 없는 음악이나 효과음이 있으면 좋을 거 같고 네가 도구를 놓치거나 잡지 못하는 부분이 있어서 그런 부분은 고쳐야 해. 그리고 네가 필기도구를 당기면서 종이를 가져오는 부분이 있는데, 그 부분에서 종이가 바로 올라오지 않았어. 그 부분은 더 연습하고… 공연이 전체적으로 짧아. 더 늘릴 수 있으면 좋겠구나.” 그는 종이에 적은 내용들을 드리머에게 주고 방에서 나갔다.

드리머는 훌쩍이면서 마셔이 준 종이를 읽어 보았지만, 마셔이 혼을 내는 듯한 표정과 목소리, 자신이 실수를 했던 장면들이 계속해서 떠올라서 울음을 그치지 못했다.

<2편에서 계속>